KB103531

바다: 언제나 늘 푸를 너에게

지은이 아영

발 행 2024년 1월 15일
펴낸이 한건희
펴낸곳 주식회사 부크크
출판사등록 2014. 7. 15.(제2014-16호)
주 소 서울특별시 금천구 가산디지털1로 119 SK트윈타워 A동 305호
전 화 1670-8316
이메일 info@bookk.co.kr

ISBN 979-11-410-6675-8

www.bookk.co.kr

바다: 언제나 늘 푸를 너에게

아영

차례

저자의 말

나는 태어나 자란 세월 간 글을 거의 사랑하다 싶을 정도로 동경해 왔다. 참으로 신기하지 않은가. 일상에서 늘 사용하는 말들이 또 다른 세계와 세상을 구축 해나가는 것이. 그래서 그저 그것이 좋았던 나는 아무것도 모른 채 글을 쓰기 시작한 것이다. 그렇게 쓴 글들이 모여 수만자의 창작 속 어느 누군가의 삶이 되었고 이는 곧 형태를 갖춘 책이 됐다.

내 주변 아무도 모르게 숨어 글을 썼지만, 그래도 행복했다. 누가 읽어주진 않아도 내가 만드는 세상이 좋아서가 가장 큰 원동력이 되었다고 생각한다. 그렇기에 이 책은 세상에 나온 이상 미흡하겠지만 앞으로 노력으로 채워갈 노력 값을 생각한다면 이 정도는 미성숙의 미로 놓으려 한다.

그러기 전에 왜 나는 하고많은 방법 중에 책을 내는 것이었는가. 정말 사소하고 근본적인 이야기이지만 본격적으로 책을 내보자고 생각하게 된 계기는 정말 어이없게도 '그냥 죽기 전에 내 책을 한 권이라도 내고 싶어서'였다. 물론 아직 죽기 전까지의 유효 기간이 너무나도 오래 남았지만, 사람의 생이란 어떻게 될지 모르기도 하고 워낙에 내가 성정이 급해서 그런 것도 있다.

그러는 와중에도 사실 이 책을 쓰면서도 내가 이 책을 통해서 무언가를 전하고 싶은 건지는 원고를 끝마친 지금도 모르겠다. 그러나 확실한 건 궁극적인 깨달음이나 전해야겠다는 확고한 말은 없다는 것이다. 그렇지만 이 책의 존재 의미를 위해 읽는 여러분은 각자의 여운이 있지 않을까 생각한다. 맞다. 이 책의 의미를 여러분 나름대로 감정이나 의미를 부여 해주길 부탁하는 것이다.

꼭 무언가를 느끼지 못했더라도 괜찮다. 읽어주는 것으로도 글 쓰는 이는 힘을 얻을 테니 말이다.

책을 내야겠다는 무모한 도전이 여름과 가을을 지나서 이 해의 마지막 계절인 겨울까지 닿기까지의 긴 시간 동안 수없이 그만둘까도 생각했지만 역시 그럴 수 없었고,

그러고 싶지 않았기에 나는 이 이야기들을 놓을 수가 없었다.

그래서 이 책을 쓸 용기를 마련할 수 있도록 인스타그램에서 부족한 글들을 읽어준 분들과 쓰지 싫을 때도 항상 해낼 수 있을 거라 응원해 준 친구들, 마지막으로 항상 나의 미래를 믿으며 응원해 주시는 우리 사랑하는 부모님까지 이 책이 출판될 때까지 나의 삶 일부를 함께한 모든 사람과 지분을 함께 나누고 싶다.

무수히 다가오는 나날들도 살아가는 여러분들의 앞으로가 늘 푸르길 바란다. 나는 그저 가끔 나의 수많은 온점들이 여러분들의 삶에서 웃고 넘길 수 있는 허무맹랑함이 되기를 바라고 또 바랄 뿐이다.

아영 (mun.com_49)

언제나 늘 푸를 너에게

일방적 사랑 연장

나는 그동안 너와 무엇을 했었던 것인가

지금의 숨이 끊긴 상태의 관계를 맺기 위하여
너와 내가 연을 맺었던 것인지

처음부터 내가 멋대로 너의 마음을 숨지게 하고서
나 홀로 너는 살아있다고 암시하며
쓸모도 없이 일방적으로 너의 생명 연장을 하고 있었던 것인지

도무지, 나는 모르겠다

네가 지금 내뱉는 말들이
네가 지금 날 직시하는 눈빛들이
네가 지금 날 대하는 행동들이

정녕, 나와 같은 마음으로 시작했던 것이 맞는가
자꾸만 그런 생각이 든다

그럼에도 나는 계속해 일방적으로 되뇐다

너의 인생 말미에서 내가 희미하게 기억나
네가 사무치게 울며 나를 내뱉어내길

과분한 욕심이고 이루어지지 않을 소망이었다
충분히 질타받을 만한 이기적인 생각이었다

이미 살아 있다는 것의 범주에서 벗어나
오직 나만이 헌신하는 관계가 된 것은
처음 너와 나의 마주침에서 시작된
필연적 불행이 된 지 오래였다

너와 나는 죽었다
죽은 것이다
우리는

자살도, 타살도 아닌
내가 너를 알게 되는 과정에서 자연스레
너와 나는 죽어가고 있었던 것이다

한참 전에 죽은 너를 데리고
나는 너를 살리겠다는 허망한 짓을 한 것이다

너는 무엇도 하지 않았다
너는 무엇을 하려고도 하지 않았다

내가 너를 또 사랑이라는 것으로
죽이고 있었구나

애정이라는 이름으로 이리도 무참히 너를 괴롭혔구나

우리가 그동안 무엇을 한 관계가 아닌

내가 너에게 일방적으로
무수한 죄들을 저지는 그런 관계였다.

눈망울의 추

이따금,
체감하는 감정의 무게가
감당하기 버거워서

그 무게만큼
눈을 일그러뜨리곤 울었다.

그 투명한 추는
떨어지면 떨어질수록
아래의 지면이 망가졌다.

진한 색으로 번지는 추에
나의 모든 것은 오염되고
추는 자꾸만 중첩된다.

기다림의 망각

기다림을 잃어버렸습니다.
쉬이 떠나고 오는 만물에 급급하여
고요 속에 잠식된 기다림을 망각하였습니다.

기다림을 망각한다는 것은, 잃어버리는 것은
마음을 잃는 것이나 마찬가지입니다.

잃은 자는 잃은 마음에 자꾸 만물을 부어
결국 마음이 공허해지게 됩니다.

기다림을 잃어버렸습니다.

삶의 모든 것을 망각합니다.

그렇지만 결국에는 고요 속 기다림을 탐하고 있습니다.
지금 당장 몰려오는 것에 휘감겨 묶인 채,

기다림을 기다립니다.

마음 우편

네가 보지 않을 거 알지만
그래도 네가 생각나서 보내 봤어
잘 전달됐니?
내 마음.

사랑하는 너와

앞으로는 내 사랑하는
너를 데리고 나와 너와 꼭 닮은
바다를 가야지

너와 어울리는
유채꽃이 있는 밭 속에
감쪽같이 널 숨겨두어야지

그리고선 너를 안고 넘어져
그늘 진 나무 아래
너를 꼭 안고 비추는 햇빛 몰래
슬며시 눈을 감아야지

아, 또 사랑한다고도 말을 해야겠다

밤에는 별이 무수히 쏟아지는 새벽에
일렁이는 달빛이 비춰주는 너의 얼굴을 보며
행복을 만끽하련다.

해 바라기

너와 닮은 것들로 이루어진
나의 또 다른 세계가 존재한다.

한 걸음 내딛자마자 침강할 것만 같은
어둠 속,
반짝이는 눈을 데리고 들어가 보면

셀 수도 없을 만큼 많은 수의 해바라기가
빼곡히 들판이 펼쳐진다.

잠시 아무 생각이 들지 않을 정도로.
그러나 그것들을 자세히 살펴보면
해가 존재하지만

그것들은 생기가 없다.

마치 반짝이는 너를 사랑하는
비틀린 내 마음처럼
고개를 꼿꼿이 세우지도 못한 채

시든 채, 고개를 하강한 해바라기의 꼴은
나와 다를 바가 없다.

나도 해 바라기 해바라기처럼
순수하고 일관적인 마음으로

바라볼 수 있다면 좋겠다.

너를 정당하게 사랑하고파.

이미 시들어 침강된 어둠 속에 존재하는
존재가 아닌
생명이 깃든 청명하고 밝은 존재로

네 앞에서도 당당하고파.

호 名

하루가 저물고,
시계 침들이 길고 긴 질주를 마치고,
모두의 고개가 위를 바라볼 때.

자신은
자신의 것을 찾고 있어요
빼앗기지 않는 온전한 자신의 것

남을 호 名하는 당신의 소리로
자신도 호할 名을 불러주세요.

기억 속에 한 획이라도 남을,
자신의 名을 호 해주세요.

나 자신을 찾아주세요.
나, 자신의 것을 찾아주세요.
그리곤 呼 해주세요.

당신의 것으로
자신을 찾아줄 때
나는 비로소 자신으로 존재하니 말이에요.

작곡 미상

마음 속에 떠도는 이 선율이 누구의 것인지 나는 모른다.

문득, 나는 불분명한 출처의 선율을 연주하고 싶어졌다.
하지만 나는 연주할 수 없다.
아름다운 선율을 내 연주가 흉내 낼 수 있을 리 없기 때문이다.
그 선율을 망치고 싶지 않았다.
그랬다.
분명히 그랬다.
그런데, 왜 지금 나는 건반에 손을 올리고 있는 건지
모르겠다.
그대로 손가락을 움직여 선율을 연주했다.
아,
익숙한 위화감이었다.
내가 만들어낼 수 있는 가장 아름다운 선율.
선율은 가장 아름다운 상태로 내 피아노 위에 머물렀다.

불면하다

익숙하다. 이 정도의 불면쯤이야. 너로 인한 불면쯤이야.
눈을 감았다 뜨면, 바람의 온도가 달라진다. 하늘도 짙은 색에서 옅어지는 색으로 옷을 갈아입는다. 이 짧막한 불면쯤이야.

너의 흔적들이 이 깊은 내면의 심연으로 되돌아가는 것이 익숙하다. 언제 생각을 했냐는 듯이 안개처럼 천천히, 모르는 사이에 거둬진다. 이 정도의 불면쯤이야.

너를 마음에 두기 시작한 날부터는 내가 감당해야 할 책임이다. 내면을 파고들면 파고들수록 마치 진흙과 같다. 내 모든 물기가 서려 지저분하다. 이 정도 불면쯤이야.

괜찮다. 너로 인한 불면이어도 괜찮다. 정말.

마음속 단말마

잔인하기 그지없는 네 온광 溫光에
조용한 단말마를 내지르며 이야기한다.
내 사랑 안에서 머물러.
어떤 것에도 홀리지 말고 내게 머물러.

연서

본디, 원체부터
여럿 사람의
다양한 선들을
잘 이해할 줄 알았다.

그래서 여럿 사랑을
해석하는 데에
도움을 줄 수 있었다.

그렇기에 소문이 자자했다.
사람 마음 제대로 읽을 줄 아는
연애편지 분석가라고.

그래서인지 내 편지가
전해지기 전에도 무색하게
소문을 듣고 나를 찾아왔다.

고운 두 손에 출처 모를 편지와 함께

여느 때와 같이 편지를 읽는데
반듯하고 고운 글씨로 적혀있던 글을
읽지 못했다.

볼 발그레 붉히며 기다리는 네게 전하려
눈과 속으로 수십 번 다시 읽어도

읽히지 않는다.

온갖 불순한 것들이 내 온몸을
인연의 홍줄로 포박한 것 같이 옥죄여와
입이 떨어지지 않았다.

두 개의 지구

지구와 달은 서로 공존한다서
나를 지구로 너를 달로 생각했던
나는 우매했다

지구와 달이 서로 멀어진다 한들
지금의 너와 나 사이 거리만큼은 아닐 텐데
그렇다는 건 이 거리를 증명할 사실은

내가 지구여서 달인 너를 위성으로
종속 해놓는 것이 아니고
나도 지구고 너도 지구이기에 멀어지는 것이었다.

우주의 무드 등

아무리 찾아와도 적응되지 않는 밤이
무섭다면 하늘에 흩어진 별들을
바라보렴

멀고도 가까운 그곳에
제일 밝진 않지만 언제나 늘 곁에서
너를 비추는 내가 있을 거야

나를 바라보는 것만으로 나아지지 않는다면
손을 뻗어 나를 낚아채 주겠니?

그래,
저 우주에 사는 나는 지구에 사는
너의 작은 무드 등이 되려 해

무서운 너의 밤을
나의 작은 빛으로
포근히 덮어 줄게

그러니 이제 무서워 말고
편히 자렴.

열외

한 사람을 알아 가는 것은
아무것도 주어지지 않은 채로
드넓은 자연에 남겨진 것과 같다.

무언가를 얻기 위해서는
미지투성이를 좀 더 자세히 알기 위해서는
홀로 길을 찾아 개척해야만 한다.

이 길에 들어도 가보았다가,
이 나무들과 꽃을 손끝으로 스쳐 만지기도 했다가,
갑자기 쏟아지는 폭우에 흠뻑 적셔지기도 하고

때론 욕심이 과해
늪에 서서히 주도권을 빼앗겨
사이를 확실히 갈라놓고도 한다.

아직 내가 그가 가진 것들 중에
한참 동안 열외일지라도
계속 닿고 닿다 보면

나도 그 속에 속할 수 있을 것이다.
스며 들어가며 천천히.

무명의 연주자 악보를 아십니까?

네가 하는 모든 것은 악보다.
네 존재 자체가 악보이다.
네가 흘리는 말들은 덧없이 고운 가사,
네가 표출하는 감정들의 파동들은 곧은 선율,
네가 그려낸 모든 글귀들은 너만의 음표,
네가 하는 모든 행동의 소리들은 자유로운 박자.
네 존재 자체가 나의 소중한 악보들이다.
그런 너를 연주로 흉내 내려 갈망하는 나는,
무명의 연주자.

바닥

늘 높고 푸른 하늘만을 바라보며 동경 해오시니 모르시겠지요.
드넓고도 넓어 어떻든 늘 넓은 그 넓이에 묻혀 살아 모르시겠지요.

모든 것들이 아름답고 따스할 줄 아는 그대야
아직 모든 세상을 모르는 하늘바라기 그대야

모르는 게 많아, 알고픈 게 많아 묻는 질문일지 모르지만
“네 하늘은 어때? 내 하늘보다도 어여쁘니?”
어찌하야 이리 잔혹한 질문을 던지시오-,

태어나 죽을 때까지 살아갈 바닥만을 지닌 이에게,
어찌도 이리 순수하고 잔혹합니까.

내 온 운명은 이 비좁고 어두운 바닥에 앉아 빛나는 하늘을
동경하며 탐하는 것뿐이 전부이온데.

하나만 알며 다른 것들은 그것과 동일시 하는 것은
그대가 가진 가장 어리석은 버릇입니다.

언제까지 그대가 그 높은 곳에 존할 진 모르겠으나
명심하십시오.

나처럼 우매히 모든 것에 속하고 홀리지 말고
세상의 모든 것을 눈과 머리에 담아

푸르고 넓은 하늘과 비좁고 어두운 바닥을 모두 아는 삶을 사세요.

언젠간 바다로 흘러갈 이야기 (1)

만일 네가 내 손에 닿는 물이라면
나는 한참 동안 네게 닿을지도 몰라
그것이 가장 널 해치지 않으며,
좋아하는 방법이잖아.

물고기가 될 수도 있지만
너와 공생하기엔 나는 너무나도
못나게 생겼을 거야

나는 내가 너에게 안기는 것은 바라지 않아
그러니 너는 걱정말고 내 마음을 투영하며
저 먼바다까지 흘러가렴

흘러가서 내 마음을 분산해
내가 널 좋아했다는 사실이 잊힐 만큼
아주아주 멀리.

언젠가 네게로 흘러갈 이야기 (2)

만일 내가 네 손에 닿는 물이라면
나는 네가 잠시 닿은 그 순간부터
항상 그곳에 고여있을지도 몰라
네가 또 날 발견할지도 모르잖아.

저 멀리 흘러 바다까지 갈 수 있지만
그렇게 흐른다면 네 손의 존재를 잊는 거잖아.
유일하게 닿았던 온기를 지우는 거잖아.

사실 나는 네게 너무 많은 것을 바라
그러니 나를 신경 써서 내가 곪지 않게 해줘
네 손길을 내게 다시 한번 선사해주렴.

나는 고이고 고여 네게 관심을 갈구해
네 머릿속에 내 자리가 각인되도록
아주아주 가까이.

나의 궤도를 바꾸면

날씨가 좋으면 좋은 대로
걷다가도 생각나면 생각나는 대로
넓디넓은 하늘을 우러러보는 대로
숨 막히도록 수두룩한 별이 빛나는 대로
흘러가는 구름이 어여쁜 대로

나의 궤도에서 그대는 벗어난 적이 없어요.

좋아하는 음악을 듣다가도
금방 그대가 좋아하는 노래로 들리고
좋아하는 영화를 보다가도
주인공이 이따금씩 그대로 변하기도
좋아하는 책을 읽다가도
사랑스러운 구절이 있으면 그대가 생각나고

나의 온 궤도가 그대인데
어떻게 바라지 않을 수 있겠어요.

보고 싶다는 말이에요.

수심의 수신

아아-,
누가 나 좀 기억의 바다에서 구해주세요.
끝이 없이 샘 솟아나는 작은 기억들이 많아
빠져나올 수 없을 정도로 넘겨졌지만
그래도 괜찮으시다면 구해주시겠어요?

아, 생각해보니 이제는 괜찮습니다.
구해주시지 않아도 됩니다.

제가 이미 너무 깊이 들어와 있네요.

숭배

나에겐 나만이 아는 종교가 있어요.

그 아무도 모르지만 글로라도 적지 않으면
마음이 더 소란 스러질까 봐 적어요
당신만은 이 글을 평생 모르길 바랍니다.

나의 종교는 내가 사랑하는 당신입니다.
나의 신앙은 오롯이 당신에 의한
당신을 위한 것이에요.

당신은 나에게 존재하니까
나의 범위에 도달하니까
손에 닿으니까.

나는 당신을 믿습니다.
당신이 나의 종교고, 나의 신앙의 원천이에요.
그러니 이런 나를 사랑 해주세요.

부탁한다면 사랑도 해주십니까?

죄송해요
누구에게 이런 고민을
이야기 해야할 지 몰라서
제가 이런 어려운 부탁을 드린 것 같아요
죄송하지만
당신의 마음에 한 자리 남았다면
제가 들어가도 될까요
이런 부탁으로 인해서 제가 감히 그 사랑을
받아도 마땅할까요
저좀사랑해주세요
숨이 넘어가도록
품에 안겨 사랑 받고 싶어요.

하늘이 푸르른 이유

날마다 하늘을 올려다보면
하늘은 언제나 그러하듯이 푸르다.

왜 푸르른가?

그러자 그는 답했다.

구름이 품는 진득한 우울들을 모두 품어,
품에서 희석하느라 푸르른 것일 수도 있어요.

흘러넘치는 눈물을
주체하지 못해서 그 눈물들의
애환들이 모순적인 푸르른으로 나타났을지도요.

아무도 모릅니다.

만일 알게 된다고 하여도
그것은 하늘의 극히 일부에 불과하니까요.

날마다 올려다보는 하늘의 푸름도
쉬이 나는 알 길이 없다.

경멸

반복되는 모든 것들에 경멸이 났습니다.
입에서 태어난 것들이 형태들을 갖춘 것인가,
빛에서 향하는 모든 것은 제대로 된 방향을 향하는 것인가,
이리저리 휘둘러 비치는 모든 것의 탄생과 소멸에게
이 모든 나의 우주에게 나는 경멸이 났습니다.
어쩔 도리로 이리도 멸하지는 모르겠으나
앞으로도 이럴 것이라는 심성 하나는
분
명합니다..

짙은

너를 구심점으로 나는 지평선을 범람해

이리저리 파도를 일으키며
경계선도 없는 지평선을 범람해

나를 여러 빛으로 너에게 찬란히 발광해
넓게 흩뿌려져 겹겹이 쌓인 노을을 삼키며
네가 허락하지도 않은 모래의 경계선을 침범해

아무리 네가 진하게 그린 경계선도
푸른 잉크로 짙게 무너뜨려 버리고
다시 네게서 물러나

그렇게 겁도 없이 네게 함부로 달려들었다
네가 멀리 도망치는 줄도 모르고
어거지로 네 발에 닿으며 달려들었다

그런 너는 결국 둑을 쌓아 나를 밀어냈다
그렇게 둑에 이끼가 생기도록
내가 달려들었을 때까지 오지 않았다

나는 미련히도 한 방향으로 밀려드는데
이젠 그곳엔 아무도 없다.

존재의 부정

많은 개체들 속에 묻어
이리저리 흩날리는 잎들처럼
나도 다른 이들을 이루는 작은 단위에 불과하다.

제대로 이루고 있다가 다시 흩어져
새로운 개체군을 이룰 때에 나는 느낀다.

나를 제외한 세상의 만물이 일렁인다고
내가 들어오지 않기를 기도하며 일렁인다고.

통곡

오늘도 생각한다.
어쩜 그리 한결같이 무심한 운명인가.
나는 너를 좋아할 수 있다
허나 네가 나를 좋아하는지 나는 알 턱이 없다.

무수한 자연의 섭리 속에서도
나는 너를 알 길이 없다.
헤어 나올 틈 없는 길에서
수십 번을 통곡하였다.

알 길이 없어 고인 눈물이
알 수 없는 공허함에 흐르고,
이제는 이유를 아는 좌절감에 흐르고 넘쳐
필연적인 단념을 단념함에 마른 눈물이 되어
나를 순환한다.

그 눈물들이 돌고 돌아도
결실은 항상 너다.
온갖 곳이 나를 참으로
비통하게 만들어.

오탈자

나는 그대의 문학 속
옳고 바른 수많은 글자들 속에
오점이다

그대가 그대의 문학들을 읽을 때
나는 홀로 그대가 나를 발견하고
나의 존재를 지워버릴까

오점인 나만 그대의 문학 속에
속하지 못하고 사라지는 것은 아닐까
조마해하며

다른 수많은 글자 사이에 숨어
그대가 나를 발견하지 않기를
바라고 또 바란다

매일을 그대가 나에 대한 수정의
두려움 속에 살아간다는 것이
힘겹다

가끔씩은 나를 이렇게 탄생시킨
그대를 원망해보기도 하고
처음부터 올곧게 태어난
다른 글자들을 동경해 보기도 하고

때로는 이렇게 태어난 것이
나의 잘못인 것만 같아
수십 번을 자책하기도 한다.

나는 왜 誤脫子 인가?

그러나 보잘것없는 나는
아직까지도 나를 발견하지 못한
그대의 시선에 안심하며 나를 감춘다.

그래도
어쩌면
나는
살아가도 되는 존재가 아닐까.

고작 우연의 한 번에 나의 온 생을 바치며
나의 내성적인 운명을, 우연을 믿는다.

고작의 誤脫字로 살아남아 가기 위해서.

증발

운명은 잔혹합니다.
닿고 싶지만 닿을 수 없어요.

이렇게 자그마한 온기에도
온몸이 요동쳐 사라지는데
어찌 닿을 수 있을까요.

이렇게 고요히 어깨를 나란히 하여도
결국에는 곁에서 흩어지고 마는데
어찌 감히 운명을 거슬러 탐하겠습니까.

운명은 잔혹합니다.
드넓은 하늘에서 바라보기만 하는 운명은.

운명은 잔혹합니다.
곁에조차 머물 수 없는 단명의 운명은.

개화

모든 것은 피고 진다.
시작과 끝이 있는 것은 당연한 관성이고
그것을 피할 수 없다.

어떤 삶의 형태를 띄고 있다고 하여도
살아있는 모든 것의
영혼의 영원을 바라는 것은
세상의 이치에 반하는 것이다.

그 무엇도 지는 당연함을
삶을 쌓아갈수록 고개를 숙이는 영혼을
제아무리 강한 힘으로 잡아 올린다고 하여도
필시 끝을 맞이하게 되어있다.

발을 깡총이며 지면 위를 날아다니는 아이들도
저 먼 곳에서 같은 행성을 딛고 서 있는 사람들도
지금 이 순간을 흘려보내는 그들도

새하얗고, 깊이 어두운 어딘가로
선을 기울여 향하고 있다는 것만은
불멸의 법칙이라고 할 수 있다.

울지 말아라
울지 말거라

영원함은 그 누구의 소유도 아니다.

그러니 이리 자그마한 한 사람이 얻는 것은
심히도 어려울 수 밖에 없는 것이
영원을 바라는 이들이 깨달아야 할 이치이다.

어떤 것이 지는 순간,
어떤 것은 개화하는 것이 마땅하다.

나의

이 조막만한 심장 세차게 뛰어 숨 쉬어도
언젠가는 필시 보잘것없으리라

모든 기억들을 접합하여 그 속을 들여보아도
순간에 지나 언젠가는 덧없으리라

움켜쥘 것 작은 주머니 수만 번 여닫아도
작은 빛 사이로 새어나가 언젠가는 형체 없으리라

언젠가 나의 모든 우주가 폭발한다면
그 보잘것없고, 덧없고, 형체없고 한
나의 운명공동체들이 새로운 보잘 것을 만드리라

작지만 단단한 나의 생이여
한껏 덧없어 보십시다.

싫어하는 계절

도저히 분간이 안 간다.

그래서 나는 열이 오르는
이 계절을 싫어한다.

내게서 오르는 열들이
너를 보고 일는 열인지
아니면 단순히 온도에 달아올라
일는 열인지 모르기 때문이다.

어쩌면 너를 보고
열이 일는다는 것을 부정하고 싶어
이 계절을 좋아해 볼까 싶다가도

내 전신이 네게서 느끼는
진실한 설렘임을 부정하고 싶지 않아
이 게절을 다시 싫어하게 된다.

내 감정 하나 분간 못하게 하는
이 여름이 정말이지 싫다.

일기

사랑을 할 때엔, 나도 모르게 유치해집니다.

옛,
남의 사랑을 보았을 때에는
그것을 이해하지 못해 웃어넘겼던 적도 있습니다.
지금 기억하는 것보다 무수히 많았겠지요.
해보지 않아서 그리 헤프게 웃을 수 있었던 거겠지요.

그러나,
지금은 압니다.
말이란, 언어라는 것은 유치할수록 더욱 낭만적이고
사랑스러운 매개체라는 것을요.

이 자그마한 고개에 담긴 순수하고 애중하지만
유치한 말들이 당신을 표현킨 어렵겠지만
아니, 내가 많이 알지 못하는 거겠지만

내 안에 말들이 당신에게 솟구칩니다.
이 한 마음을 온전히 표현하진 못해도,
당신에게 울리는 고동만으로도
그 별것 없는 언어를 느끼곤 합니다,

참으로 유치하지요?
허나,
어찌하겠어요.

당신에게만 나의 고동이 동하는 것을요.

혼용

설렘이라는 어색한 색채에 속아
마구잡이로 쏟아낸 마음들은
점점 색채들을 탁하게 했다.

내 마음은 밝게 빛나는 검은이다.
어느 색채와도 섞이지 않은 상태선
빛이라도 받아 어줍잖게 빛난다.

허나 소량이라도
한 색채와 혼용되기 시작하면
그 색채는 본연의 빛을 잃고 탁해진다.

이런 마음을 감히 네게 칠하고
결국은 너마저도 혼탁해지고 말았다.
제아무리 색을 덧칠해도 소용이 없다.

부디 어느 누구라도 좋으니
말라가는 나의 마음에 선을 그어주길,
색채 없이도 형형색색으로 빛나는 형태를 잡아주길.

일방적 포용

속절없이 하강하는 바다여,

너는 방랑히도 흘러가거늘
왜 나는 이곳에서 움직임도 없이
머물러 있는가?

새로이 융화되는 바다여,
왜 나는 네게 융화되지 않은 것인가?

바다가 껴안지 않는 소년은
결국 제 온몸을 바쳐
담기지도 않는 드넓은 바다를 안았다.

소년은 그저 자신의 외로움을
바다가 숨이 막힐 정도로 안아
자신이 잠적하는 것 밖에는
바란 것이 없다.

보이지도 않는 눈물이
속절없이 하강하여
새로이 융화되었다.

마참내
소년은
바다가 된 것이다.

편지

있잖아.

너에게 전할 진심을
다 써서 곱게 접고 있는데

마침 근처에 네가 있어
한시라도 빨리 전하고파
성급하게 접어
네 걸상 서랍을 보는데

마침 그때 네가 이야기하더라
좋아하는 사람이 생겼다고.

그래서 나의 진심은 전하지도 못하고
다시 나에게로 반송되었어.

그 진심을 품고서
다시 펼치는데 잉크가 번졌어.
다시 봐도 잉크가 번졌어.

바래가는 여름

여름이 바래간다.
새하얀 커튼이 바람에 흔들리는 여름이
팽창해가는 폐에 들어오던 끈적하고도 습한 공기의 여름이
열을 내며 얼굴을 붉힌 네가 있는 여름이

가까이 다가가면 놀랄 정도로 뜨거운 피부의 열기에 놀라는 여름이
가벼운 모든 것들이 펄럭이는 태를 띄는 여름이
바래간다.

오랫동안 있다가 흔적도 없이 사라지려는 듯이
도망가려는 듯이
마치 인쇄된 잉크들이 햇빛에 소솜히 휘발하듯이
여름은 바래간다.

어차피 추억하면 어디서 바라본 여름으로만
미화되어 기억될 한 계절일 것을

바래간다.

나의 모든 여름이 바래간다.
이미 내 여름의 주인공은 내가 아닌
네가 맡고 있겠지만.

나의 여름의 감정들이 자꾸만 바래간다.
이대로 두면 사라지겠지.

모두 날아가 바래겠지.

과거의, 미래의, 여름의 끝자락인 현재도
모두 바래 알아볼 수 없게 될 것이다.

바래가는 여름.

첫사랑

첫사랑은 어찌 그토록 저리던지.
자각도 하지 못한 채 온몸의 감각을
한곳에 몰아넣는다.

앞에서는 귀에 익지 않는 한 선생의 인생사
옆에서는 재밌다는 듯이 질문하는 동급생
그 사이서 웃는 나의 초점.

누군가 나의 머릿속에 현미경을 달아놓은 것처럼
인파들에 파도가 일는 길목 사이서도
선명히 눈을 맞추는 고동색의 눈동자.

나를 의식하고 있지도 않을 터인데
네가 하는 행동 하나하나에 알 수 없는 마음들이
샘물처럼 무한히 샘솟는다.

마치 고요한 바다의 심연 속에 있는 것처럼
먹먹한 내 목소리는 닿지 않겠지만
발버둥 칠수록 더 가라앉겠지만
그 속에서도 작은 붉음을 싹틔운다.

넘실거리던 흐름들이 한곳에 고여
밀도 높은 사랑이 된다.

그 이름도 무거운 나의 첫사랑.

극장

나는 자그마한 연극의 주인공들을 불러볼까 합니다.

차가운 공기 한가득 머금고 어둑한 극장을 만들고
오로지 인물에게만 집중할 수 있도록 따스한 색감의
스포트라이트를 켜
무대를 준비합니다.

물론,
오늘 연극의 극본도 준비되어 있습니다.

두 연인의 애절한 사랑이라든가
마음 한구석 따듯해지는 가족 이야기라든가
가령, 비극을 담은 한 사람의 일대기라든가.

고를 수 있는
만들어 낼 수 있는
나의 연극 극본은 무궁무진합니다.

앞으로도 나의 야간 연극은 영원히 흥행할 것입니다.
자꾸 걸어오는 그대의 이기심만 없다면요.

봄을 체감하는 방법

봄을 체감하는 방법은 새 학기도, 꽃잎도 아닌
투명한 창 넘어 새어오는 햇살의 따스함 정도예요.

그래서 이따금씩 자꾸만 지는 시합을 걸어요.
따스함에 제가 함락하지 않을 것이라는 확신으로
기분 좋은 자신감을 품고 시합을 걸어요.

시합을 거는 순간
저는 봄을 체감합니다.
함락할 것을 알면서도 봄을 체감하기 위해
수도 없이 조용히 시합을 걸어요.

따
스
한

환상
의

굴레로

풍
덩
–
.

게으른 죄책감

오늘도 손때가 묻은 교과서를 팔에 품고
고개 숙여 기나긴 복도를 지나면
넓고도 작은 교실이 나옵니다.

불규칙한 주파수의 의자를 꺼내
감당하기 벅찬 몸 수업을 핑계로 대며
털썩 기대어 놓곤 합니다.

책상은 책에게 끝도 없이 넓어지지만
내게서는 하염없이 작고도 좁아져
쉬이 손을 내밀 수가 없습니다.

그런 의자와 책상에 몸을 뉘운 나는
내 주변을 순식간에 지나쳐가는 네들을 보고
게으른 죄책감을 하나 품어요.

네들의 주변 모든 것들은 네들의 노력인 것을
알면서도 자꾸만 부러워하며
지긋이 네들의 주변을 눈으로 한바퀴 둘러봅디다.

왜 나는 진작 노력을 하지 않았는가,
왜 나는 이리도 쉬이 사람을 떠나보냈는가,
하등 이유도 없는 게으른 죄책감이 한편에 자리 잡습니다.

이기심이 만들어 낸 게으른 죄책감입니다.

물론 이 감정을 정당화하거나 합리화할 생각은 일절도 없습니다.
죄인이 어찌하여 자신의 잘못을 주변에서 찾겠는가요.

그리하여 나는 이 죄책감이 조금이나마 감춰지도록
공백의 노트에 이해도 되지 않는
글자들을 그려 넣는 것밖에는 할 수 없습니다.

말

호흡 해나가며 내뱉는 한 음절은
그저 스쳐 지나가 흩어지는 기체의 일부와도 같다.
그 말은 즉,
구어야말로 늘 소비하고 있는 무형 소모품과 같다는 것이다.

소비하면 할수록 사라져가
일순의 망언을 주워 담을 수가 없듯이
내뱉는 순간 호흡과 함께 저만치 흩뿌려진 대기 중으로
되돌아가는 것처럼 말이다.

당연하고도 중하다는 것이다.
심장을 품고 태어난 것들은 거차게 뛰는 심장의 당연함을
일삼아 기회가 여러 번이라는 무모한 결과를 도출한다.

그렇다면 나는 어떤 말들을 품에 안고 살아가야 할까.
한 번쯤은 고민하게 된다.

잠든다는 것은

잠든다는 것은
하루 동안 소비되었던 내 정신을 정비하는 것이다.
잠든다는 것은
유일하게 생각하지 않고 오로지 내가 나에게 빠져볼 수 있는
시간이다.

온몸의 견고함이 느슨해져 경계심이 누그러진 상태로
날 늬운 이부자리들이 슬금슬금 손을 뻗어 내 몸을 잡아끈다.
결국 나는 그 인력에 이끌려 온몸을 맡길 수밖에 없는 것이다.
의지대로 신체를 가눌 수가 없다.

그렇게 잠든다는 것은, 서서히 어느 속도로 도달하는지도 모르는
죽음에
익숙해지기 위해 길들어지는 과정이다.
죽음이 다가와도 놀라지 말고, 잠든다는 것처럼 천천히 받아들일 수
있게
24시간 중의 몇 시간을 앗아 죽음에 적응시키는 것이다.

그렇다고 죽음을 받아들일 수 있을까?
모르겠다.
아무것도 바라는 게 없는 세상에 미련이라도 있는지
터무니없는 망각의 굴레 속에서
한 줌의 영양가도 없는 무미건조한 이유만 찾으려 할 뿐.

과연 생사는 내가 한줌에 쥐어지는 말로 정의할 수 있는 것인가.

나는 다시 원초적인 물음으로 되돌아가야 한다.
익숙해진다는 것은, 잠드는 것은 죽음과 동일시 사용될 수 있는가?
동일시 사용된다고 하여도 그들의 본질은 같은 것인가.

사전도 알려주지 않는 정의를 재개하려고 한다.
잠든다는 것은 죽음인가?
죽는다는 것은 영원한 숙면인가?

투신해살

어느 날 빛나는 빛 아래서, 너는 그보다 더 환한 빛을 내며
줄곧 좋아하는 것들에 대해 읊었다.
바라보면 눈꺼풀이 자꾸만 무거워지는 따스한 햇살이라든가,
빛에 바래가 본래의 색마저 유추할 수 없을 정도의 사진첩이라든가,
손가락이 닿기만 해도 손자국이 남을 것 같이 투명한 창문이라든가,
해석할 수 없는 단어들이 포집된 이름도 모르는 이의 시집이라든가,
새푸른 하늘색에 고개를 올려놓을 때마다 무늬가 바뀌는 하늘의
모습이라든가,
좋아하는 게 많은 너는 그저 숨이 붙어있는 것만을 이유로
살아가는 하루마저도
좋아하는 것에 둘러싸여 기쁜가 보구나.
그런 너도 싫어하는 게 있다.
작고 작은 어느 바닷가 마을에 사는 네가
제일 싫어하는 건 바다라고 말했다.
모든 것의 열이 정점을 찍는 7월에 태어난
7월생이
가장
싫어하는
바다.
너무나도 싫어 온몸으로 저항하다 거품만 남기고 신기루처럼
사라졌지.
그렇게 널 잡아먹은 바다는 아직까지도 잔잔하다.
지평선도 가를 수 없어 한계가 없는 자조의 어항으로 너를
품어놓고
아무에게도 네가 자신에게 있다는 것을 알리지 않고

너의 사지에 중하디 중한 압력 투성이로 짓눌러 깊이 가라앉혀
놓곤 널 혼자 독식한 바다.
한여름의 열기 한가득 머금고 태어난 7월생이 싫어하는 바다.
겨울이 싫어하는 바다.
지금도 악착같이 나만 살아가고 있는 삶이 싫어지게 하는 바다.

너는 언제쯤 장난 마치고 돌아올거니?

C의 졸업식

학교 가야지 언제까지 늑장 부릴 거니?
저기 단정히 다려놓은 교복을 안 입은지도 수개월째야.
조금만 지나면 졸업식인데
안 갈 거야?

아무리 늑장을 부려도 너는 내 귓가에 대고
다정한 잔소리를 내뱉는다.

그렇지만 나는 안 갈 거야, C야.
지금은 여름이기도 하지만, 나는 더 이상 교복을 입을 수가 없는걸.

내일도, 내일모레도, 앞으로도 졸업식은
더 이상 오지 않을 테니까.

오늘은 7월 23일, 네 21번째 생일이야.

무더운 여름이야.

풍등

아직도 쉬이 제 흔들림 결정할 수 없는 나는
주변에서 불어오는 작고도 작은 숨에도
본래의 박자를 놓치고 거대한 파도를 타듯이 세차게 흔들린다.

물론, 본디 풍등이라는 것은 본질적으로 이리저리 움직이며
제 주인이 바라는 것을 이 등에 담아
하늘님에게 본인들의 염원이 전해지도록 하는 매개체이지만

풍등인 나는 당신들의 염원을 곧게 전할 수가 없다.
내게 담긴 마음의 양이 한없이 가벼워
목적지로 향하는 경로에서 이탈한 지 오래다.

나도 내 염원 담아 하늘님에게 닿고 싶은데
얕게 불어오는 무한한 풍추風錘에
이도저도 못하는 자신의 처지를 혼자서 동정할 뿐.

그 이상, 그 이하도 못 한다.
아니, 더 이상 하려고도 시도조차 안 한다.
내가 잘 해내길 바라 첨언하던 추들은 되려 짐이 되어
올라가야 할 나를 추락시킨다.

그래도 나는 내 몸을 찢어서라도
당신들에게서 받은 추들을 모두 땅바닥에 벗어던지고
바라고 또 바라고 있는 하늘에게 가련다.

표본

찾을 수 없는 청을 뒤로 한 채,
결국은 조그마한 병에 널 담는다.

넘실넘실, 내가 움직이는 대로
쉽게 따라 움직인다.

지금이면 그 진했던 청이
얼마나 빠지고 빠져 바랬을까.

그러고 보니 병에 담긴 너는
유독 바다보다 짙푸르구나.
짙구나.

심연 속 마주하는 두 손

포근한 이불 덮어 가지런한 침대를
뭉개며 누워 있어도 내 몸은 움직이지 않아요.

네 모든 것은 바다가 다 적셔
무
겁
기
때문이에요.

너무나도
무겁고
깊어서
.
.

그렇지만 나올 순 없어요.

죄책감 저 아래의 손을 잡아줘야 하거든요.
영원히.

계절이 지나간 어느 날

산들바람이 불어오는 날씨에 슬그머니 올라타 함께 계절을
타봅니다.
매 계절을 감각으로 느끼며 치부했던 이별의 아쉬움과 애절함은
사랑을 했던 한 여인의 마음과 같이 뒤숭숭합니다.

그러나 조금씩 이 마음 담아 한가득 뜨거웠던 여름을 보내어 주려
합니다.
시나브로, 나도 몰라 살갗에 스치는 열기와 바람으로만 체감하는
계절에 대한
최소한의 예의로 그동안의 베풂에 보답하기 위해.

답하기로 마음먹은 나는 세월 한가득 머금은 서랍에서
얇은 종이 한 장 꺼내어 와
내가 살아가는 해들의 계절을 적습니다.

봄, 여름, 가을, 겨울.
네들과 내가 살아가는 계절을 한 획씩 그을 때마다
빗겨나가지 않았는데도 뭐가 그리도 아쉬운 마음인지
자국 많은 종이의 흑연들을 지우개로 지웁니다.

시나브로 다가와 내가 뒤늦게 눈치채도
살갗에 스치는 바람들로 내게 말을 겁니다.
흐드러진 짙은 남색의 천막에 걸린 수많은 별이
오직 나를 기다리며 발광합니다.

이리도 다정한 네들은

나를 반겨 줍니다.

내가 살아온 모든 날의 이유가 마치
전부 네들과 재회하려 힘겹게 살아온 것으로
순간의 이유를 불어 넣습니다.

살아가길 잘했습니다. 살아오길 잘했습니다.

계절의 시작은 나의 안도
끝맺음은 언제나 자국 남는 이름들.

그렇게 하루 더 살아있습니다.

출처 불분명한

저 멀리 흘러가는 주인 없는 마음과도 같이
내 마음 네게 흘러가는 줄도 모르고
계속 네 빈구멍에
절제 없는 마음만 들이부었지.

어느 누구의 책임도 없는 세상의 관계서
어느 누구의 것도 아닌 사랑만이 흘러넘치는 세상서
결국 그 마음의 책임자마저도 나겠지
제공자도 나겠지.

사랑에 책임을 지우고
출처 불분명한 마음만 괴로울 뿐이고

그런 상태로 나는 계속 자라나는 마음
명도 끈질겨 살아남는 마음
버리지도 못한 채
미련만 뚝뚝 떨어지는 마음 품겠지.

아
잊을 수 없는 마음이여.

샛푸름 익사 사건

첫 여름

나에게는 비밀이 있다. 사람이 높은 곳에서 낙하하는 속도는 걷잡을 수 없을 만큼 빠르다는 것과 바다에 잠적한 사람은 찾아내기 힘들다는 것, 물에 젖은 청재킷은 무겁다는 당연한 사실도 나는 더이상 우리가 아니라는 것이다. 단지 그 뿐이다.

'…가야 해, 알았지?'

오늘도 어김없이 그날의 꿈을 꿨다. 그 애와 내가 바다에서 서서 뭍으로 나오지 않고 계속 바다에서 이야기하는 꿈인데, 매일 이 꿈을 꾸고 일어나지만, 무슨 말을 했는지는 기억이 나지 않는다. 그런 생각이 들 때마다 매일 '내가 기억해야 하는 게 있는데 까먹었나 보네.'라며 애써 신경 쓰지 않고 넘기려 하지만, 당연히 신경 쓰인다. 나의 매일 매 순간이 그 꿈에 내 모든 것을 팔아버린 것만 같이 그 꿈을 잊으려 해도 잊을 수 없다.

꿈의 여파로 아직도 바다에 있다는 기분 때문인지, 주변의 습기 때문인지 어느샌가 땀을 흘려 온몸이 끈적하다. 그럴 때마다 단전에서부터 올라오는 불쾌함이 나를 장악한다.

“오늘은 아침 먹고 가니?”
“응, 샤워만 하고 바로 먹으려고.”

쉬이 일으켜 지지 않는 몸을 겨우 일으켜 비척거리며 화장실로 내려갔다. 이제 학교도 가지 않으면서 겨우 꿈 때문에 일찍 일어난다는 게 짜증 나긴 하지만 다시 잠들면 그 꿈을 다시 꿀 것이 분명하기에, 일어나기로 마음을 고쳐먹었다. 그나저나 우리 집이 바닷가 근처여서 그런지 여름이면 바다에서 오는 습기의 영향에 온 집안이 꿉꿉했다. 물론 화장실도 예외는 아니다.

그래서 그런 건지 샤워해도 샤워를 한 것 같지 않은 기분을 느끼는 순간이 대다수였다. 그래도 그렇지, 오늘은 그 정도가 더 심한 것 같은 느낌이 든다. 심지어 아침인데 하늘이 좀 어둑한 것 같기도… 라는 생각이 든 찰나에 설마, 하고 몸의 물기를 머금어 무거워진 수건으로 머리를 털어가며 식탁에서 밥을 먹고 있는 엄마를 불러 물었다.

“엄마, 혹시 오늘부터 장마야?”
“어. 저기 나오네, 장마 맞대.”

이놈의 불안한 예감은 왜 언제나 틀리지 않은 것일까. 모처럼 오랜만에 맞이한 여름의 시작이 잘못 꿰어진 것 같다.

태초

"아, 아니야…!"

움직일 것이다. 움직여서 파도가 일 것이고, 상반신이 허우적대며 날 찾을 것이다. 그래야 한다. 그래야만 한다. 어디 있어, 어디 있는 거야. 한 가여운 아이는 제 몸도 건사하지 못한 주제에 필시 믿고 있다. 강한 밀림에 반항하며 앞으로 나아가 찾아간다. 미동이 없는 바다에, 그 속에 잠긴 것을 손으로 파고 또 파내어 바닥이 보일 때까지 찾고 또 찾는다. 그러나 청 속에서 청을 찾는다는 것은 쉬운 것이 아니었다. 그것도 이미 융화되었을 청을. 그러기를 몇 번째, 몸에서 힘이 빠져나가는 것을 아이는 감지한다.

그리고 아이는 그 자리에서 움직이지 않았다. 정확히는 움직이지 못했다. 아이 이외의 모든 것은 움직였다. 모두 제 기능을 똑바로 해내고 있다. 그러나 아이는 제 발목에 감겨 오는 바다의 손에 넘어지지 않으려 힘을 주는 것 이외에는 아무것도 할 수 없었다. 제 것을 앗아가는 조용한 재해를 막지 못한 채. 그저 제자리에서 새로운 바다를 생성 해내며, 점점 아래로. 곧 바다의 손안으로 순식간에 사로잡혔다. 그 사건 이후, 아이는 바다를 싫어한다. 사계절 어느 바다든. 싫어할밖에.

바다는 어찌하여 아이의 미움을 샀는가. 어찌하여 극복 해내기 어려운 증오를 품 안에 안겼는가. 그러나 바다는 그저 흘러가기만 할 뿐, 그저 아이가 이 영원할 것만 같은 해답을 찾아내기를 묵묵히 기다릴 뿐이다.

"…해! 이재해! 일어나, 점심시간이야."

온몸을 뒤흔드는 꽤 센 반동과 이름을 부르는 목소리에 더 이상 잠을 이룰 수 없을 것 같아 곧바로 눈을 떠 고개를 들어 깨운 상대를 확인했다. 이제는 얼굴 보기도 지긋지긋한 소꿉친구였다. 이상하다, 밥이라면 사정없는 애가 점심시간인데 밥을 먹으러 안 갔다고? 웬일인지.

"넌 왜 여기 있는데? 밥이라면 환장하는 애가."
"음, 그냥 이재해 없으면 밥 맛없어서."

묻자마자 납득하기 어려운 낯간지런 말을 하는 것이 아닌가. 아무리 오랫동안 면대면으로 봤다고 해도 그렇지. 그렇다고 해서 내가 쟤를 말릴만한 재량은 안 되기 때문에 그냥 말을 먹으며 자리를 정리하곤 일어섰다.

"뭐래. 그나저나 오늘 진짜 덥네, 몇 도임?"

"30도. 와, 너 아니었어도 더위 때문에 입맛 없었을 듯"
"응, 거짓말 적당히 하고 얼른 가기나 하자. 못 받을라."

교실에서 나오자마자 훅-하고 풍기는 뜨거운 바람에 저절로 얼굴을 찡그리며 입고 있던 옷을 세차게 펄럭거렸다. 에어컨이나 선풍기가 없어 펄럭거리는 데에도 큰 변화는 없지만 이렇게라도 하지 않으면 분명 땀에 절어 상체에 들러붙을 것이 눈에 뻔하기 때문이다. '이렇게라도 해야지 불쾌지수가 줄어들어서 조금이라도 더 살만하니까.'라고 애써 효과도 없는 자기 합리화를 시전하며 펄럭거렸다. 난 이래서 여름이 싫다.

그나저나 얘는 덥지도 않은지 입을 쉬지도 않고 조잘댔다. 급식줄 서 있을 때까지도 계속 얘기를 해대서 참다못해, 옷을 펄럭이기를 멈추고 쉼 없이 움직이는 이 입술을 손으로 잡았다. 말해도 적당히 해야지. 하여튼 얘기를 시작하면 멈추지를 않아요, 멈추질. 그래서 얘가 말하고 있는 걸 보고 있으면 무슨 이야기보따리가 어딘가에 달린 듯이 끊임없이 나와서 경이로울 지경이었으니 말 다 했다.

"그러니급, 으 즈브! (왜 잡아!)"
"시끄러워서. 넌 좀 닥칠 필요가 있는 것 같아."
"아, 느므흐느. 므니 은 흐그든? (와, 너무하네. 많이 안 하거든?)"
"아, 시끄러 시끄러. 조용히 하고 밥이나 먹자? 응?"
"어우, 짜!"

그렇게 배식을 받을 동안 뒤에서 계속 구시렁거리며 나를 열심히 째려봤지만, 다시 생각해 봐도 입술을 잡은 것이 옳다면 옳았지, 크게 잘못됐다고는 생각하지 않는다. 배식을 다 마친 급식 판을 들고 작은 급식실을 대략 둘러 살피고는 적당한 구석 자리로 가 앉았다. 물론 시원한 에어컨이 간절해 근처에 앉고 싶은 마음은 굴뚝 같았지만 이미 사람들로 가득 차 가기가 싫었다. 모여 있는 사람이 내뿜는 열은 생각보다 더 뜨거운 것을 알았기에 더워도 굳이 구석 자리에 앉는 것이다.

뭐 사람들 눈에 띄기 싫어서 일부러 빨리 먹고 가자는 마음으로 구석 자리에 앉은 것도 없잖아 있다. 내가 자리에 앉자마자 뒤에서 금방 받아 김이 솟아오르는 급식 판을 들고선 아직도 의기소침해 있는 건지 퉁명스럽게 내민 볼과 함께 내 앞자리에 급식 판을 내려놓으며 앉았다.

"저기 에어컨 앞에 앉지. 여기 안 더워?"
"더워, 엄청. 근데 사람이 내는 열이 더 더워서."
"하긴, 밥이나 먹자."

얘도 내가 나름대로 논리가 있다는 걸 알자 딱히 큰 반박은 안 하고 숟가락으로 밥을 한 술 크게 떠 입에 넣었다. 사실 더워서 밥 먹는 것도 하기 싫었지만 안 먹으면 날씨에 몸이 지쳐 가는 것이 더 귀찮아진다. 그래도 그나마 다행인 점은 오늘 급식은 꽤 나 맛있는 편이었다는 점이다. 그냥저냥 맛있게 먹을 수 있는 대체 적으로 맛있는 그런 밥. 그렇게 조용히 밥을 다 먹어갈 때, 어디선가 시선이 느껴져 고개를 드니 얘는 벌써 다 먹고 나를 흐뭇하게 바라보고 있었다. 도통 뭔 생각으로 이러는지 알 수가 없었다.

“야, 가자.”

다 먹고 급식실을 나오자마자 우리 둘은 당연하다는 듯이 학교 주변을 돌며 평소와 같이 산책을 한다. 왜 하는지는 모르겠으나, 지금은 밖이 무진장 더우나 우리는 끄떡없이 산책을 한다. 이유를 굳이 붙여보자면 단지, 평소에 있던 습기가 없는 것을 만끽하자는 것 정도가 이유라고 할 수 있겠다. 참, 당사자인 나도 아이러니하긴 하다. 풍경이 좋은 바닷가 마을에 살면서 아직도 바다의 짜고 습한 습기에 적응하기 어려웠다. 육지에 살면서 물속에 사는 것만 같은 느낌이 모순되어 곧바로 받아들여지지 않았다.

그래도 역시 건조한 열기는 금방 몸에 열을 달아오르게 했다. 바닷가 마을이어도 여름은 여름이니까. 그게 무척 더워서 우리 둘 다 맥을 못 추리는 정도로 이긴 했지만 견딜만하다고 생각해서 얼른 반으로 가자는 마음으로 뛰어서 갔으나, 역시 무리였다. 아무리 우리가 팔팔한 고등학생이라고 해도 더위에는 나이 장사 하는 것은 아니다.

결국 돌아가는 길에 우리 둘 다 벌겋게 물든 얼굴로 손에는 아이스크림을 하나씩 쥐고 교실로 돌아갔다. 교실에 올라가니 우리가

밖에서 산책하고 온 사이에 에어컨을 틀어줬는지 들어가자마자 산뜻한 시원함이 내 몸을 한가득 둘렀다. 땀이 났어서, 그런 건지 얼굴 쪽은 유독 더 시원한 느낌이 다른 부위보다 빨리 느껴진다. 그제서야 실감한다. 여름이구나. 피부가 차가워질 정도의 에어컨 바람을 쐴 때마다 여름을 안다.

교실에 앉은 지 얼마 지나지 않아 수업은 시작했고, 에어컨의 시원함과 급식을 배불리 먹은 대가로 꾸벅 졸아가며 학교를 끝마쳤다. 끝나고도 가는 길이 같아 함께 하교하던 중 정말 뜬금없는 생각이 들어, 나도 모르게 걸음을 멈췄다. 내가 멈추자 당연하다는 듯이 자기도 멈춰선 골똘히 생각하고 있는 내 얼굴에 자기 얼굴을 불쑥 들이민다.

일부러 나 골리려고 하는 거 눈에 뻔히 보이는데도 아무것도 모르겠다는 듯이 광대가 방싯하고 올라가 있는 표정을 하곤 나와 눈을 맞췄다. 이 모습이 정말 얄미워서 딱밤이라도 살짝 때릴까 망설였지만 한번 관용을 베풀어, 그냥 넘어가기로 한다.

“왜, 재해. 뭐 놓고 왔어? 으이구, 그러니까 내가 미리미리 챙기라고 몇 번을 얘기했는데~”
“웃기시네, 네가 내 보호자냐. 물건은 자기가 더 잃어버리면서.”
“그, 그건 그냥 들고 있기 무서워서 살짝 몇 번 떨어뜨린 것뿐이고.”

아, 생각났다. 내가 지금 발걸음을 멈추면서까지 골똘히 생각하려 한 일. 내가 최근 계속 벼르고 있던 얘 생일이다. 7월 23일. 한창 더운 절기에 태어난 너의 생일. 이런 얄궂은 모습을 보면 챙겨주고 싶지 않다가도 어느새 정신 차려보면 네 생일에 무슨 선물을 줘야 할까. 하는 생각들 천지다.

"그은-데, 너 지금 나한테 이러면 안 될걸?"
"왜? 뭐. 뭐로 또 협박하려고!"
"생일 선물?"
"아, 아니 그게 아니고~ 우리 다정한 재해가 왜 그럴까아~"

생일 선물 얘기에 무섭게 태도를 싹 바꾸며 세상 무 해한 미소를 지어 보였다. 정말 내 친구지만 가증스럽다는 생각이 들 지경이다. 그래도 내 생일이 아니고 쟤 생일이니까 하며 금방 순응하곤 고개를 들어 올리니 눈꺼풀을 깜빡이며 날 바라보는 광경이 펼쳐졌다.

"…사줄 거니까, 그 눈은 그만해 주지 않겠니."
"아유, 그럼 물론이지."
"대체 뭐가 그렇게 갖고 싶길래 필사적이야, 들어나 보자."

기다렸다는 듯이 움츠린 몸을 쭉 하늘로 향해 펼치며 익살스러운 목소리로 말한다.

“나는 말이야, 재해야. 넓고 푸른 바다가 갖고 싶어.”

지금 와서 생각해 봐도 말도 안 되는 모순적인 소원이었다. 아니다. 우리 사이에선 평범했다고 해야 하나. 나와 최청하의 태초는 항상 그래왔다.

형성

도무지 이해할 수가 없었다. 바다를 어떻게 선물해야 하는 건지 감도 안 잡히는데. 그리고 이상한 점은 청하는 바다를 싫어한다는 것이다. 더더욱 결국 터무니없는 말이었던 것을 어떻게 지켜줘야 할지 수없이 고민한 끝에 선택한 것은 청재킷이다.

비록 넓다는 조건은 충족하지 못했지만, 푸르다는 것을 충족한 것만으로도 마음이 놓인다. 넓은 건 본인이 입으면서 알아서 잘 품을 넓히겠거니 싶어서 고민하지 않기로 했다. 머리 안 좋은 나한테는 이게 최선의 선택인 것을 어찌하겠는가. 내일의 청하의 반응을 예상하며 오지 않는 잠을 애써 청한다.

결과는 실패였다. 이불을 몇 번이나 사부작거려도, 죄 없는 새벽의 창을 여닫으며 방 온도를 조절해도 쉬이 잠이 오지 않는 건 변치 않았다. 해탈한 몸을 뉘어 벽에 걸린 시계를 보니 시곗바늘은 12를 향하고 있는 것이 눈에 띄었다. 아침에 찾아가서 제일 먼저 선물 주려고 했는데 망했다.

"쟤 지금 자려나."

물론 평소에 방의 불이 내가 잘 때도 꺼지지 않는 걸로 보아 지금도 안 자고 있을 것이 당연했지만, 혹시 모르니 라고 한 번 더 생각하곤 머리맡의 휴대 전화를 들어 메시지를 보낸다.

- 뭐해

얼마 지나지 않아 휴대 전화가 환하게 빛을 내며 알림을 띄웠다.

- 엄마랑 아빠 연락 기다리는 중
- 왜?

맞다. 부모님 해외에서 일하신다고 하셨지. '그쪽은 낮이니까 이제 연락할 수 있으시겠구나.' 싶은 것이 이제 서야 떠올랐다. 청하도 잠깐 기다리는 게 어지간히 심심했는지 금방 연락을 봤구나 싶다.

- 잠 안 와서
- 선물 미리 주려고 연락한 거야

- 나야, 좋지
- 그럼 어디서 만날래?

어디서…? 그냥 청하네 대문 앞에서 줄 생각이었는데, 본인이 생각보다 본격적이다. 내 예상에서 벗어나긴 해서 좀 당황스럽긴 하지만 오늘 생일이니까. 원하는 대로 맞춰주기 위해서 **바다 앞.** 이라고 답장을 보냈다. 새벽이라서 춥긴 하겠지만 넓고 푸른 바다라는 사족을 만족시키기에는 충분하다. 역시 나는 천재가 아닐까. 역시 새벽이라 이상해지는 것 같다.

이런 허튼 생각할 시간도 없다. 얼른 옷 입고 먼저 가 있어야지. 옷장에 있는 옷을 주섬주섬 꺼내 입으며 옷들 아래에 보관 해두고 있던 청재킷이 담긴 쇼핑백도 꺼내 들었다. 마음에 들어야 할 텐데. 어울리는 건 고민도 안 했다. 워낙 예쁘게 생겨서 웬만한 옷은 다 소화하니 그것만큼은 편했다.

곧이어 나는 가족들이 깨지 않게 숨을 죽여가며 계단은 한 칸, 한 칸 내려갔다. 내려가는 동안 괜히 지금 만나자고 했나 후회했지만 이미 돌이킬 수 없을 만큼 많이 내려와서 다시 돌아갈 수도 없는 상황이다. 들킬까봐 놀란 심장을 달래가며 현관문을 빠져나오자마자 참았던 숨을 몰아쉬었다.

"선물 두 번 주려고 하겠다가 간 떨어지겠네."

그래도 기분은 최고다. 들숨 날숨에 들어오는 새벽 공기를 두른 바다의 소금기 저린 채도 낮은 짠 향. 살포시 앉아 있는 머리칼을

쓰다듬는 듯한 차갑지만 부드러운 바람이 내가 새벽을 좋아하는 이유를 다시금 상기 시켜준다. 새벽에 밖을 나온 것은 오랜만이지만 결코, 후회하지 않는 선택임이 틀림없다.

그렇게 걸음을 옮긴지가 몇 분이 채 되지 않아 모래사장에 앉아 있는 사람의 실루엣이 보인다. 대놓고 청하가 예쁘다는 것을 확인 시켜주기 위한 것인지 달빛은 유독 청하의 곁으로 다가갈수록 밝았다. 한 걸음, 한 걸음. 정신 차려보니 어느새 웃고 있는 얼굴을 마주했다.

“자. 생일 축하한다, 최청하.”
“고마워. 좀 묵직하네, 뭐야?”
“이상한 건 아니니까 열어봐. 잘 어울릴 것 같아서.”

쇼핑백을 열자마자 입꼬리가 계속해서 솟더니 눈까지 반달 모양이 된 채로 꽃이 피어난 듯이 활짝 미소를 펼쳤다. 이렇게까지 기뻐하는 걸 보니 나도 덩달아 웃음이 터지고 말았다. 반응에 대한 뿌듯함과 드디어 네게 제대로 된 선물을 해줬다는 안도감에 미소가 샘물처럼 가득히 차올랐다.

“다행이네, 한번 입어봐. 잘 어울릴 거야.”

청재킷을 꺼내 한 팔씩 재킷에 걸쳤다. 손전등도 없는 지금 주체

없이 쏟아지는 달빛과 계속해서 귓가에 걸쳐오는 바닷소리도 모든 게 완벽히 어우러지는 상황 속에, 나의 선물을 받고 기쁜 얼굴로 이리 저리를 도는 네가 너무나도 잘 어울려서 나도 모르게 소리 안 나는 셔터를 네게 남발한다. 유한한 프레임 속에 담기는 모습이 한 폭의 삽화와도 같아서 꿈속이 아닌가 하는 생각이 들 지경이었으니 말이다.

물론 지금 계절에 적합한 옷은 아니라 곧바로 입고 다니기에는 무리겠지만 언젠가 바람이 더욱 찬 날에 입어줄 모습을 떠올리면 이 정도는 감수할 수 있다.

"고마워, 나 청재킷은 처음 입어봐. 너무 예쁘다. 진짜 바다 같아."
"그래서 넓고 푸른 바다 인정 해주는 거지?"
"인정하고말고."

네 마음에 들었으면 된 거다. 응. 그거면 된 거다.

여름이긴 하지만 바닷가라 바람이 차가워 서둘러 짐을 정리하고 각자 집으로 돌아가기로 했다. 게다가 청하는 돌아가는 길에 그렇게 기다리던 부모님의 연락도 받을 수 있었다. 끝내 만나지 못 한 아쉬움이 얼굴에 드러났지만 애써 감추는 모습이 보였다. 하긴 나도 내 생일에 가족들이랑 함께하지 못한다고 생각하니 청하의 기분을 조금이나마 이해할 수 있었다.

그런고로 낮아진 공기를 좀 띄워볼 겸 여러 가지 실없는 이야기를 늘어놓았다. 그중에서도 좋아하는 것에 관한 이야기가 나왔을 때는 언제 시무룩했냐는 듯이 신난 얼굴로 자신이 좋아하는 것에 대해 걷잡을 수도 없는 속도로 장황하게 말했다. 너무 길어져 집에 거의 다 도착했을 때도 가지 않으려 하길래 얼른 마무리 짓고 집으로 돌려보낸 뒤에 나도 집으로 돌아갔다.

청하가 좋아하는 것은 정말 별거 아닌 것들이었다. 바라보기만 해도 눈꺼풀이 무거워지는 따스한 햇볕, 자그마한 생채기 가득 새겨진 명찰, 도대체 이해할 수 없는 난해한 말들만 한가득한 얼굴도 모르는 시인의 시집들. 거창하지도 않아 내가 한 번씩 살펴볼 수 있을 만한 흔한 것들이다.

청하가 매일 웃고 있는 이유를 안다. 너를 둘러싼 모든 것이 좋아하는 것들이라 기쁘겠구나. 그 웃는 모습이 예뻐 너뿐 아니라 네 주변을 맴도는 나마저도 저절로 웃음이 지어진다.

새벽 윤슬에 빛나는 친구의 모습을 아이는 한 장면도 남기지 않고 오랫동안 눈에 담았다. 왜인지는 모르겠으나 그 순간들만큼은 반드시 그래야할 것만 같은 기분이 들어서. 아이는 제가 친구에게 선물한 청재킷과 바다가 하나같이 보이는 동질감에 마치 어디론가 떠날 것만 같은 두려움을 지닌 채 아이는 저의 눈 초점을 친구에게로 맞추곤 여러 번 눈을 감았다 뜨기를 반복했다.

제게서 뻗쳐나가는 열들의 존재를 아이는 알기나 할까. 아이의 열이, 여러 사람의 열과 같은 응집된 열이, 오랫동안 머물며 주변 공기를 녹이고 있는지. 모르겠구나. 모르는 것이 당연한 운명이지. 네가 향한 피사체는 온통 푸른 바다 그 자체이니 말이다. 넓고도 자그마한 푸른 바다에 네 렌즈가 가라앉고 있는지도 알아차리지 못하는 미색에 매료된 아이야.

집에 돌아오고 나서 방에 올라오자마자 후련한 마음으로 풀썩 누웠다. 입가에 자꾸만 머무는 미소에 조금 애먹긴 했지만, 새벽에 나갔다가 와서 그런지 몸이 금방 지쳐 옷도 안 갈아입고 까무룩 잠들어 버렸다. 일어나보니 시간은 벌써 정오를 향하고 있었고, 문밖에서는 엄마랑 아빠가 틀어놓으신 텔레비전 소리가 들렸다.

안 들켰으니까 된 거지, 뭐. 일단 씻기나 하자 생각하며 옷가지를 챙겨 화장실로 갔다. 옷도 안 갈아입고 잠들어 자고 일어나자마자 땀이 흘러서인지 옷이 몸에 들러붙어선 끈적할 찰나에 잘 일어났다.

“씻을 거면 빨리 씻고 밥 먹어.”

내려와서 아직 아무 말도 안 했는데 어떻게 안 건지, 엄마는 시선은 텔레비전에 고정한 채 말했다. …내가 그렇게 시끄럽게 내려왔

나? 그렇진 않았는데 항상 눈치를 채는 엄마를 보면 뒤통수에 눈이 하나 더 달려있나 하고 합리적인 의심을 하게 된다. 말도 안 되는 걸 알지만 이렇게 빨리 알아차리는 것이 신기한 걸 어쩌겠는가.

"아, 어어. 알겠어."

얼떨결도 잠시 열린 창문에서 들어오는 습기에 견딜 수가 없어서 곧장 샤워하러 화장실로 들어갔다. 화장실도 창을 열어놓은 탓에 별반 다르지 않아 소용없었지만 말이다. 설마 시원한 물도 안 나오는 거 아니야? 불안한 마음으로 고개를 냉수로 돌려 트니 차갑다고 곧장 말할 수 있을 만큼 시원한 냉수가 샤워기에서 주룩주룩 흘러내리고 있었다.

샤워를 마치고 물기를 닦아 아직 시원한 수건을 목덜미에 걸쳤다. 이거지. 늘 느꼈던 개운함이지만 여름에는 더 개운하단 말이지. 이 상태로 냉장고에서 물을 꺼내어 엄마가 식탁에 올려놓은 컵에 물을 따라 마셨다. 다 마신 컵에 물을 다시 따른 뒤 의자에 앉아 밥을 먹기 시작했다.

"너, 청하한테 생일 선물 준다며? 언제 가니?"

말 잘못 하면 걸린다. 최대한 짧은 시간 내에 엄마가 납득할 수 있는 답을 해야 한다며 머리를 뒤져가며 이유를 쥐어 짜냈다.

“아 그거? 밥 다 먹고 가려고.”
“잘됐네. 저기 보온병 보이지? 그거 청하 주고 와.”
“응, 알겠어.”

언제 준비했대. 어릴 적에 이웃으로 만나 지금까지 같이 지내온 것 덕분인지 청하는 나 말고도 우리 가족하고도 친하게 지냈다. 그래서 엄마는 음식을 할 때마다 청하네한테 줄 분까지 생각하고 만들었다. 바로 지금처럼. 물론 가끔은 음식 전해주러 가야 하는 일이 많아서 조금 번거롭기도 했지만 말이다.

그래도 무조건 나쁘지만은 않았다. 덕분에 청하랑 친해질 수 있게 되기도 했으니 말이다.

골목을 지날 때마다 고개를 내밀고 보았지만, 옆집은 늘 아무도 없는 빈집이었다. 어렸을 적 본 모습 그대로 안에는 사람이 살지 않은 채 그 집은 방치 되어 왔었다. 청하가 이사 오기 전까지는 그랬다. 그러다가 어느 날 학교를 마치고 돌아오는 길에 우리 집 골목길을 지나가는데 늘상 비어있던 옆집이 분주했다.

무슨 일이라도 났나 하고 보는데 누군가 이사를 하고 있었다. 그게 바로 최청하였다. 보자마자 ‘이런 시골에도 사람이 오는구나.’ 싶어서 신기해하고 있으니, 언제 온 건지도 모른 엄마가 옆으로 오셔서 잘 지내보라고 하셨고 나는 그 말에 충실하기 시작한 후부터

가 친해지게 된 계기였을 지도 모른다.

물론 청하가 지금처럼 붙임성이 좋지 않았기에 처음에 친해지기 시작하는 데에 애를 먹었다. 게다가 낯도 가려서 그런지 다가가기에 좀 더 조심스러웠다. 그렇지만 친해질 방법은 먼저 다가가는 것이었기 때문에 만나서 친해지기 위해 초인종을 그렇게 눌러댔다.

학교를 마치면 초인종을 누르고, 주말 아침 일찍이도 대문을 두드리고 민폐라는 생각이 들기도 전에 친해지는 것이 우선이었기에 가능한 일이었다. 지금 와서 생각해 보면 하기도 쉽지 않은 일인데 친구 사귄다는 어린아이 객기로 여기까지 온 거 보면 나도 참 대단하다.

밥을 다 먹고 나서 식탁 위에 있던 보온병을 안고선, 현관을 나섰다. 평소 자주 신어 전체적으로 회색빛 때가 탄 슬리퍼를 질질 끌고 하늘색 대문 앞에 섰다. 그리고선 문에 달린 동그란 쇠 손잡이를 크지 않은 소리로 텅텅 두드리며 청하를 불러냈다.

"최청하! 있어?"

이후로 청하의 방을 향해 3번이나 이름을 더 불러봤지만, 아직 자고 있는지 나올 기미가 보이지 않았다. 아무리 보온병이라지만 지금 딱 먹어야지 맛있을 텐데 생각하며 보온병을 들고 집 주변을 서성거리다가 내 목소리를 들으신 청하 삼촌께서 대문 앞으로 나오셨다.

“무슨 일이니, 재해야?”
“삼촌, 안녕하세요. 저희 엄마가 미역국 좀 전해주라고 하셔서요.”
“항상 너희 집에 신세만 지는구나…, 미안하다.”
“에이, 아녜요. 친하니까 하는걸요. 맛있을 때 청하랑 같이 드세요!”

삼촌은 보온병을 받으시고는 잠시만 기다리라며 집에 들어가셔선 책 두 권을 들고서 나오셨다. 아직 청하네 서재에서 보지 못한 걸 보니 이번에 새로 출간하신 책인 것 같다. 마침 읽을만한 책이 없어서 도서관에서 뭘 빌려와야 할지 고민이었는데 잘 됐다. 유명한 작가인 청하 삼촌의 작품은 언제나 재미있었다. 그래서 가끔 청하와 놀겠다며 집에 놀러 가 발매되지도 않은 삼촌의 책을 보기도 하곤 했을 정도였으니 말 다 했다.

제목도 몰라 읽고 싶어도 읽지 못할 때, 우리가 청하에게 해주는 것에 대한 보답으로 책을 쥐여주시면서 본격적으로 두 집이 친해지기 시작했다.

물론 청하와 내가 친해지게 된 과정은 조금 달랐다. 꾸준히 찾아간 보람이 있었는지 조금씩 마음을 연 청하는 나를 데리곤 자신이 좋아하는 장소에 가곤 했다. 그렇게 좋아하는 장소에서 청하는 뜨문뜨문 자신의 이야기를 털어놓았고 나는 그것을 가만 들어주었다.

학교에서 있었던 일이라든지, 서울에 살 적 있었던 일이라든지, 미래에 하고 싶은 게 날마다 바뀌는 거라든지 청하가 자꾸만 내 소매를 잡고선 나를 자신의 세계로 데려가며 나의 세계를 넓혀주었다. 그렇게 학교가 끝나면 재미없어 하교 시간이 싫었던 내가 이젠 청하와의 시간을 보내는 것이 좋아 하교 시간만을 기다리게 하는 초등학생 이재해 삶의 설렘이 생겨났다.

그래서 먼저 종례가 끝나면 청하네 반 앞으로 가 청하를 기다리곤 했다. 그날도 마찬가지였다. 늘 앉던 갯바위 위에 앉아서 맛있었던 그날의 급식 반찬을 이야기하고 있던 도중 청하의 핸드폰에 알림이 울렸다. 그 소리를 듣자, 청하는 오늘 중 가장 기쁜 표정을 하며 주머니 속 핸드폰을 꺼내 들어보는데 얼마 지나지 않아 실망한 얼굴로 핸드폰을 다시 집어넣는 청하를 보았다.

"무슨 일이야? 집에 가야 되는 거야?"
"……아니야! 그냥 부모님이 못 온다고 하셔서…."
"부모님이 많이 바쁘셔?"
"응…, 사실 지금 같이 있는 어른도 삼촌이야."

이후 청하는 부모님에 대해서 서슴없이 이야기하기 시작했다. 부모님이 해외로 나가게 된 이유부터 그 이후에 삼촌과 살아온 이야기 등 사람이라면 서슴없이 말하기 어려운 이야기를 어린 청하는 덤덤히 내게 말해주었다. 물론 덤덤히 라고 하기에는 아직도 기억에 남을 정도로 쓸쓸한 사람의 얼굴이었으니 말이다.

이때의 나는 이야기를 가만히 다 들어주었다. 저들끼리 스치우는 바다의 소리 때문에 몇 마디는 감춰졌지만, 소리만 감춰졌을 뿐 드러나는 표정까지 먹어버릴 순 없었다. 아니 오히려 먹을 수 없던 것이 아닐 수도 있다. 지금의 청하 표정이 마치 일생 들여다보지도 못할 심해와도 꼭 닮아서, 그 밀도가 무거워 가라앉아 이미 입 안에 있던 걸지도 모른다.

듣고 또 듣고. 주변이 붉어질 때까지 바위 위에 무릎을 쪼그리고 앉아 있었다. 그렇게 슬슬 다리가 저려올 때쯤에 이야기가 끝났다.

"고마워. 다 들어준 사람은 별로 없었는데."
"나아졌으면 다행이고. 으, 춥다! 갈까?"
"응!"

바닥을 손으로 딛고 일어난 순간 아까부터 느낀 저릿함이 순간 온몸을 순식간에 스쳐 지나갔고, 그의 여파로 무언가에 부딪히는 소리가 났었다. 흔히들 말하는 엉덩방아를 찧었다는 뜻이다. 청하는 웃기다는 듯이 들썩거리는 몸을 거느리며 나를 일으켜 주었다.

정확히 우리들이 통칭하는 '그날' 이후부터 관계에 날개라도 달린 듯이 순식간에 친해졌고, 새벽에 만나서 선물을 줘도 불편하지 않을 정도로 말이다. 역시 사람은 솔직히 털어놓은 후에 비밀이 없는 상태가 친해지기 적합하다고 생각한다. 그리고 그날 이후로 몇 년

이 지난 지금 보면 누구보다도 삼촌과 즐겁게 살고 있다. 내 걱정이 조금 무색할 정도라고 해야 하나.

게다가 지금 이루려는 목표는 달성했으니, 집으로 돌아가 진득한 낮잠을 자려는 참에 현관에서 까치집을 시공하고 하품하며 걸어 나오는 청하가 보인다. 쟤는 참 잠버릇이 얼마나 험한지 자고 일어난 후에 까치집 상태를 보면 알 수 있다. 이야기를 나누시던 삼촌께서 내 시선 방향을 눈치채셨는지 뒤를 돌아보신다. 그러더니 못 말린다는 듯이 머리를 짚으시곤 한숨을 뱉으셨다.

"청하야, 머리라도 빗고 나오지…"
"괜찮아, 해는 그런 거 신경 안 써~"
"맞아요, 괜찮아요. 청하 맨날 저러고 나오는걸요."

그래도 삼촌은 청하에게 몇 마디 더 얹으셨지만, 아무래도 쟤는 들을 마음이 없는 것 같다. 듣는 와중에도 날 향해 이상한 표정을 보이기 부지기수다. 어떻게 동갑인데 나보다 더 어린애 같지? 이미 수없이 그 모습에 적응한 나야 등굣길마다 하도 많이 접해서 오히려 머리 차분한 날이 어색하다.

하긴 청하 성격이면 나만큼 친한 사람이 아니면 저런 모습 서슴없이 보여주는 게 조금 어려울지도 모른다. 그래, 긍정의 의미로 받아들이자. 삼촌 말씀이 다 끝났을 즈음에 꾸벅 인사를 하곤 마침내 청하네 정원에서 빠져나왔다.

그래도 잘 지내시고 있는 것 같아서 다행이다.

침체

그렇게 여러 날이 지나고 무더웠던 대서가 지나고, 더위도 한풀 꺾인 채 9월이 다가왔다. 그렇다고 쌀쌀한 편은 아니어서 선물 해준 옷을 입고 다니기엔 이를 거 같다고 생각했다. 그렇지만 내 예상과는 다르게 청하는 벌써 청재킷을 꺼내 옷장 문 옷걸이에 걸어놨다며 흐뭇한 미소와 함께 내게 알려주었다. 직접 들으니 괜히 미소를 주체할 수가 없었다.

얼마나 마음에 들면 아직 밤에도 춥지 않은 날씨에 꺼내놓고 기다리는 걸까. 라고 생각하기 무섭게 우리 집 앞에서 청하가 나를 기다리고 있었다. 그것도 선물한 청재킷을 입고 붉게 달아오른 홍조까지 달고서는 말이다. 누가 봐도 얼굴이 전체적으로 붉은 게 딱 봐도 더워 보이는데.

“안 덥냐?”
“전혀! 나 안 더워!”
“그렇게 빨간 얼굴로 말하니까 잘도 믿겠다.”

바로 바람 살랑 불자마자 옷장에서 꺼내 입고 온 행태가 티가 나는데. 옛날이나 지금이나 거짓말이 서툰 점은 안 변했다. 근데 청하는 거짓말을 해 봤자다. 어차피 얼굴이랑 행동에 다 드러날 정도로 서툰데, 누굴 작정하고 속이겠다고 거짓부렁을 털어놓겠는가. 만일에 누굴 속인다고 하더라도 의도가 불순하진 않겠지. 그 점은 누구보다 최청하를 잘 아는 내가 입증 해낼 수 있다.

벌겋게 달아오른 청하의 홍조에 느긋하게 누워 있던 나는 창문을 바라보며 다급하게 옷장에서 옷을 꺼내 대충 입고 쿵쾅거리며 계단을 내려갔다. 이렇게 급하게 계단을 내려가기만 해도 땀이 뻘뻘 나는 게 아직도 추위가 오지를 않았건만. 청하는 뭐가 급한 건지 청재킷을 벌써 꺼내서 입은 건지 모르겠다.

“뭐가 급하다고 벌써 입었어?”
“바람이 불잖아~ 그래서 딱 입었지.”
“그래도 아직 이르잖아, 땀도 이렇게나 흐르면서.”
“일단 거기로 가기부터 하자. 나도 너한테 줄 거 있어!”
“알겠어.”

꽤 나 험해진 길을 조용히 청하의 뒤꽁무니를 따라갔다. 그러니 평소와 다른 분위기의 갯바위가 나를 반겨주고 있었다. 짙은 회색과 어울리지 않게 튀는 빨간색과 흰색의 격자무늬가 새겨진 천 돗자리가 놓여있었고, 그 위에는 손목시계가 담긴 작은 상자가 고스란히 있었다. 눈과 입이 크게 벌어진 상태로 청하를 바라보니 내 양쪽 어깨를 잡고 갯바위 쪽으로 나를 떠밀었다.

청하가 준비한 손목시계는 깔끔한 검은색의 모양이었다.

"선물이야. 어때? 마음에 들어?"
"예쁘네. 맨날 차고 다닐게."
"지금 차 봐! 아니다, 내가 채워줄까?"

괜찮다며 내가 차려 했지만, 청하가 뻗어오는 손의 빠르기가 내 손의 빠르기보다 빨랐다. 그때 스쳐 닿은 손마디는 순간에 뜨겁다고 생각할 정도로 열을 내뿜고 있었다. 그 손은 상자 속 있던 시계를 꺼내어, 내리쬐는 햇빛에 비춰 보여주었고 시계의 검은은 더욱 반짝였다. 근데 계속 바라보다 보니 궁금해졌다.

"근데, 왜 시계를 선물로 준 거야?"
"사계절 동안 지니고 다닐 수 있잖아."
"그래도 요즘에는 핸드폰으로 다 볼 수 있지 않아?"
"여전히 실효성만 챙기기는. 이게 낭만이다, 재해야."

어떻게 저런 말은 서슴없이 할 수 있는 걸까. 청하는 작가인 삼촌의 아래서 자라 그런 건지 항상 표현에는 서슴없고, 감정표현이 풍부했다. 물론 지금도 그렇지만 말이다. 언제나 들어도 익숙해지지 않았지만 그렇다고 해서 싫은 건 아니었다. 그냥 표현을 잘해주는 사람의 결이 익숙하지 않은 것뿐이다.

그렇게 여러 생각들을 시계를 보며 계속하고 있을 때 청하는 본인의 가방에서 음료수 캔을 꺼내고서는 양손에 들곤 자기 양 볼에 가져다 대었다. 그러더니 바로 살 거 같다는 표정을 지으며, 이상한 얼굴을 하고 있었다. 그 표정이 너무 웃겨서 사진을 찍으려 휴대폰을 꺼내 들었지만 어떻게 알아챘는지 하지 말라면서 뭉개진 발음으로 나를 말렸다.

그렇지만 원래 친할수록 날 것의 모습을 많이 보게 된다고 생각하는데 내 개인적인 생각인 건지 아닌지는 잘 모르겠으나, 내려놓지 않고 끝까지 청하를 찍었다. 그러자 손에 들고 있던 음료수 캔을 내려놓고 일어서서 내 핸드폰의 카메라를 얼굴로 가려버렸다.

그렇게 둘이 왔다가 갔다가 하면서 핸드폰 쟁탈전을 벌이다가 결국에는 힘이 들어 갯바위 위에 앉았다. 아무 말도 안 한 채 숨만 몰아쉬고 있었지만 왜인지 모르게 웃어버렸다.

청하랑 같이 있으면 최근 간 잊고 있었던 감상과 감정들이 무의식의 깊숙한 곳에서부터 밀려오는 느낌이 들었다. 걱정할 것도 없이 살아갈 수 있을 것만 같은 분위기의 해방감이라고 해야 할까. 그래도 표현해 준 이상 최소한 나도 돌려주려 노력한다.

그것도 듣다 보니 일리가 있다. 하긴 요즘에 너무 현실적인 것만 보고 살았다. 근데 현실적일 수밖에 없는 이유는 지금 우리가 현실을 살아가기 위한 선택을 하는 10대의 끝맺음이기 때문이다. 내년에는 어른이니까. 성인이니까. 내 행동에는 내가 책임지는, 미성숙하지만 자유로운 존재. 그러니 더욱 현실을 직시하는 것밖에 할 수 없게 되는 것이다.

그렇지만 내 경우는 좀 달랐다. 시골 작은 바닷가 마을에서 태어나 보니 부모님이 마을의 작은 카페를 하고 있었고, 공교롭게도 나는 19살이 된 지금까지 꿈이 없었고. 졸업하자마자 그 카페를 물려받기로 했다. 손에 할 일이 쥐어진다면 이 불안감도 없어지지 않을까 싶어서 말이다. 성인이 된 청하가 이곳에 남아있을 거라는 확신도 없고, 혼자서 살아갈 무언가가 인정받을 거라는 확신도 없다는 것이다.

그래도 뭐라도 하면서 살면 하고 싶은 걸 찾을 순 있을 것이다. 사실 미래에서의 성공은 바라지도, 바라보지도 않았으니 그냥 만날 수 있을 때 친구도 만나는 정도의 여유만 가지고 살게 된다면 좋겠다. 그냥 지금처럼 앉아서 실없는 웃음만 지어도 행복한 것같이 말이다.

어쩌면 나는 결국 그런 소박한 것이 바라는 꿈일지도 모른다. 명성 내세워 사는 것보다는 좋아하는 것에 둘러싸여 사람에 대한 혐오를 더욱 키우지 않으면서 지내는 온전하고도 평화로운 상태. 꼭 꿈이 직업일 필요는 없으니까.

상실

늘 익숙하게 찾아가 앉았던 바위 근처의 높은 곳에서 달려가도 붙잡기 어려운 속도로 순식간에 사람이 낙하한다. 일단 누군지는 몰라도 사람이 떨어지는데 잡아야겠다 싶어서 바다로 뛰어 들어가니 익숙한 옷이 보였다. 부정하고 싶을 정도로 빨리 그리고 명확하게 알아차릴 수 있는 옷이었다.

왜 그렇게 됐을까. 비도 오지 않는, 아주 화창한 날에 바다가 깨진 유리처럼 빛 발하는 날에 자꾸만 차가운 해하 海下로 내려갔다. 마음이 무거워서 그런 건지 발견하지 못할까 두려웠던 건지 나의 선물은 수면에 흘려두고 너는 내려갔다. 아, 아닌가. 내가 가지 말라 붙잡아 벗어놓은 건가. 무거운 청 탓에 이것마저 함께 내려가버릴까. 심연에서 겁이나 수영도 못하면서 잡으러 자꾸만 내려갔다.

사람이라면 응당 저 목숨이 위험해진 순간엔 살아나기 위해 무엇이든 하려고 발악할 터이거늘 왜 나는 그 흔하디흔한 물거품도 안 보이는 건지 모르겠다. 그래도 찾아야지 찾아만 내야지. 내가 널 찾는 이유는 이후 널 찾지 못해 흘릴 눈물의 값도 아니고, 널 좋아하는 불가항력의 마음으로 찾으려는 것도 아니다. 너는 살아야 하니까. 나와 함께 앞으로도 즐겁게 살아야 하니까 라는 친구로서, 우정으로서의 이기심일 뿐이다.

자꾸만 흘러내리는 눈물을 자각하지 못한 채 바다에 융해시키며 몸을 이끌고 앞으로 나아갔다. 그러자 어디선가 본 영상 속 이야기가 떠올랐다.

"사람은 누구나 자살 전에 보내는 신호가 있습니다. 자신이 지닌 소중한 물건을 준다거나, 일상에서의 흥미와 즐거움을 잃는다거나, 자기 비하적 표현을 하는 것같이 말이죠. 그래서 주변에 위태로워 보이는 사람이 있다면 주의 깊게 보고 도와주어야 합니다…"

순간에 수많은 너를 떠올려 보았지만, 너는 그 흔하다는 징조조차도 없었다. 그렇지만 징조가 있었다고 해서 내가 알아차렸을까? 알 수 없었을 것이다. 결국에 내가 네게 해줄 수 있던 것은 그냥 내가 있다는 사실만을 알리고 곁에서 친하게 지내는 것뿐이다.

지금은 그냥 네가 가라앉는 곳으로 몇 걸음 되지도 않는 더딘 진보만을 하는 아무것도 아닌 그저 사람의 죽음을 목격한 사람밖에 더 되는가. 그래도 붙잡아서 물어야지. 왜 그리도 이르게 죽음을 재촉했냐고. 네가 지금까지 살아오면서 느낀 행복은 일말 없었냐고.

시골구석에서 마지막 졸업식까지도 같이할 거라고 굳게 믿었던 바람이 한순간에 일그러져 버렸다. 결코 예상된 절망이 아니었다. 예상하고 싶지도 않던 최악의 전개.

죽음을 받아들이는 단계 중에 부정이 있던가. 아, 부정밖에 없었나.

그날은 정말 모든 조건이 좋았던 날이었다. 여름다운 짙고 맑은 하늘, 머리카락 살랑 휘날리는 습기 서린 바람, 그 아래를 범람하는 진청색의 바다까지. 보통의 사람이라면 하지도 않은 행복에 이미 들떠 어디를 갈지, 무얼 할지 저들끼리 속삭이곤 하는데, 분명 아이가 웃고 있을 줄 알았는데 왜 바다에 갇혀 울고만 있는 거니, 아이야.

자신의 당연한 운명 하나도 받아들이지 못하고 자꾸만 역행한다. 매초같이 흐르는 짙푸른 청색을 거스르는 어리석은 짓을 하는 것인가. 여기 가만히 있는 바다는 아이 너의 운명도 아니고 한 인간의 죽음을 받아들인 것밖에는 없는데.

아이는 제 품에 안긴 청재킷을 끌어안고는 동요했다. 어깨가 동할 정도로 몸을 떨며 울기도, 품속 청재킷을 손이 하얗게 색이 휘발될 정도로 힘을 주며 재킷을 더욱 말아 넣기도, 머리카락을 세게 부여잡으며 바다에 진동이 생길 정도로 절규의 고함을 내지르기도 했다. 절규가 멈추면 붉게 부르튼 멍한 눈으로 바다 저 멀리 바라보기를 반복했다.

지금 나가지 않으면 자기도 죽을 것을 뻔히 알면서도 아이는 꿈틀거리는 미동 하나 없었다.
"아, 아니야…!"

내 발치 아래의 파도부터 하늘을 가르며 날아가는 새마저도 생기를 가지고 이곳저곳을 배회하는데 나는 움직일 수 없었다. 움직이기 싫었다. 내 손에 쥐어진 무게가 청재킷의 무게가 아닌 같이 돌아갈 네 손의 따뜻한 무게이어야만 한다.

그리곤 그 마음 알고 네가 울기라도 하는 듯이 티 없이 맑았던 하늘에선 비가 내렸다.

여름을 스쳐 지나가고 있는 계절에 내리는 비는 참으로 차갑고, 따갑다. 한 방울이 머리카락 사이로 떨어지고, 더 나아가 해수면에 불쑥 튀어나와 있는 등판이 적셔왔다. 이미 젖은 내게 일정량의 물을 더 쏟는 거라면 안 그래도 무거워진 몸, 더욱 무거워져 아래로 떨어지라는 묵언의 강요였다. 죽음을 방관한 것도 죄다. 되갚을 것 없이 평생을 달고 가야 하는 죄. 한평생의 죄.

앞으로 발걸음을 내딛을수록 아까는 느끼지 못했던 파도의 밀도가 나를 뒤로 떠밀었다. 나아가니 상반신과 하반신의 억척같았던 힘들은 이미 울음과 울부짖음의 탓에 풀어진 지 오래다. 게다가 아까부터 물 더미들이 내 옷을 잡고선, 바람에 떨어지지 않았기에 자꾸만 불어오는 바람에 애꿎은 나만 추위를 느낄 뿐이었다.

"…청하야, 청하야-!"

그렇게 지니고 있지도 않은 핏대를 세워대며 몇 번을 더 너의 이름을 필사적으로 불렀다. 오직 한 번이라도 지금 살아있다는 신호를 보기 위해서 저 먼 섬에서 발견되어도, 근방의 모르는 마을에 도달해도 소식 없다며 미워하지 않을 테니 제발 살아만 있기를 바랐다. 살아만 있다면 내가 가진 욕심 다 버리겠다고 생각했다. 지금 오는 비에 네가 짓눌리면 안 되는데. 내 목숨이 버려질 판인 지금도 나는 어디쯤 머물러 있을지도 모를 네 목숨이 무거웠다.

결국엔 눈이 감겼다. 어느 이정표도 없는 무한한 바다에서.

눈을 뜨고 난 뒤에는 낯선 모습들밖에 보이지 않았다. 평소 같지 않은 자질구레한 소음들 겨누고 있을 힘도 없어 포기해야만 했던 나의 일부에 닿은 건조한 온기 그리고 무엇보다 가게에서 일하고 있어야 할 우리 부모님이 내 곁에 앉아계셨다. 설마라고 생각하면서 침대에서 몸을 일으켜 세웠다. 지금 바로 만날 수 있을지도 몰라.

그러니 부모님은 붉어진 눈시울을 하시곤 잡은 내 손에 힘을 주시며 아래로 떨군 고개를 이리저리 휘저었다. 이러실 분들이 아닌데 생각할 즈음에 맞잡은 손에 들어가는 힘이 세져만 가, 고통에 표정을 일그러트렸다. 순식간에 손은 떨어졌고, 움직이려 했지만, 움직일 수가 없었다. 내 옆에 있는 모두의 표정이 나를 동정하는 눈치였기에.

"청하는요? 같이 병원에 왔죠? …그죠?"
"재해야, 일단 너 몸 좀 챙기고 말하자 응?"
"아뇨, 최청하 어디 있어요? 네? 어딨어!"

청하 이름을 언급하니 주변이 조용해졌다. 내 눈앞의 세상이 뿌예져만 갔다. 과거를 공전했고, 지금도 공전하고. 앞으로도 공전할 빌어먹을 푸른색만이 가득한 이 별에서 어떻게 널 찾아야 할지 가늠이 안 갔다. 당장에도 네가 있는 곳에 몸만 적셨다가 말려도 일어나기가 어려운데 너는 지금 얼마나 괴로울지.

한 손으로는 지금 당장 보이는 엄마의 어깨를 부여잡고 남은 한 손으로는 몰아치는 두려움에 먹먹한 가슴을 쿵쿵 내리쳤다. 턱밑까지 그 점성 높고 악착스러운 물이 차오르며 나를 옭아매는 것만 같은 느낌이 들어서 숨이 가빠 왔다. 그 호흡은 검다 하면 검다고 할 수 있고 우습다면 우습게 여겨버릴 수도 있는 숱한 죄책감이었다.

그와 더불어 존재의 상실을 인식하는 순간부터 과거에 대한 그리움과 후회, 미래에 대한 두려움은 함께 찾아온다. 예상할 수 없는 속도로 흐르는 시간에 씻겨 내려갈 거라는 불명확한 진단과 함께 나와 남은 평생을 함께 살아갈 운명이겠지. 그러니 이 주체하기 어려운 눈물에 사유는 내 앞에서 죽음 재촉한 청하 너를 원망하는 것이 아닌 구하지도 못한 주제에 지금도 이런 생각들만 머릿속에 가득한 나 자신에 대한 모멸감이니 말이다.

생각보다 몸은 빠르게 회복되었다. 통증이 있는 곳도 없었고, 더 이상 눈물 때문에 탈수 현상이 오지도 않았다. 그러나 나는 여전히 환자였다. 그것도 남의 죽음으로 마음이 다친 환자. 몸은 회복을 마쳤다고 한들 원래의 나처럼 살아가기 위해서는 내가 고쳐져야 했다. 그래서 정신의학과를 찾아가 내원하기 시작했다. 갈라진 마음을 내보이고 진단을 받고 처방받은 약을 먹었다. 그런 생활을 5년 동안이나 이어왔다.

그러는 사이에 청하의 소식을 들으신 부모님이 청하를 찾아오셨지만, 이미 늦었다며 삼촌께서는 청하의 부모님에게 청하에 대한 이야기를 전하는 것을 거절하셨다고 했다.
그리고 청하의 삼촌께서는 이미 바다 아래에 있는 청하를 찾아내기 위해서 수없는 노력을 하셨다. 새벽에는 청하의 방을 제외하고 불이 꺼져있던 집은 이제 청하의 방을 제외한 모든 방에 불이 켜져 있었다. 해가 다시 떠오를 때까지도 청하네 집은 다시 어둠으로 돌아갈 기미도 보이지 않았다. 아마도 청하를 찾아내려는 삼촌의 희망이었을 거다.

그렇게 앞집에서 바라만 보고 있던 나날들이 지나고 청하 삼촌을 창문 너머로 한번 본 적이 있다. 그때 청하네 대문 앞에는 꽤 많은 수의 경찰같이 보이는 사람들이 서 있었고, 얼마 지나지 않아 나오신 청하 삼촌의 상태는 이로 말할 수 없었다. 손질되지 않아 얽힌 긴 머리카락, 여전히 붉은 눈가, 전과는 달리 살이라곤 찾아보기 어려울 정도로 빠진 마른 몸까지. 청하의 삼촌은 청하를 찾기 위해서 자신을 포기하셨었다.

그리고 그 사람들과 짧게 대화를 나누시고서는 눈물을 흘리시다가 쓰러져 병원에 이송되셨다. 그때 이후로 삼촌을 뵙고 싶어도 뵐 수가 없었다. 만약 내가 찾아간다고 하더라도 내가 할 수 있는 것은 없을 것이다. 깊이 알 수도 없는 마음에 내 얄궂은 공감을 덧씌울 순 없는 일이다. 오히려 독이 될 수도 있다.

내가 그 마음을 전부 헤아리기는 온 우주를 돌아보고 와도 불가능하다. 나는 가족만큼 가까운 친구였지만, 삼촌은 가족이면서 청하를 본인의 친자식처럼 키우기 위해 본인의 인생을 나눈 존재였을 텐데.

그래도 삼촌의 마음을 헤아리며 청하를 생각하기보다는 나는 나대로 청하를 품고 살아간다. 예전부터 지금까지 그 누구보다 청하의 장례를 바라지 않으면서도 그 누구보다 청하를 그리워하고 애도하고 있는 사람이기도 했다. 그렇게 든 생각은 앞으로도 내가 어떻게 살아가면서도 친구로서 함께했던 마음들까지는 상실하고 싶지 않다는 것이다. 마음마저도 잃어버린다면 남은 생이 불쌍할 만큼 두려울 것이기 때문이었다.

아직도 바다 근처에 가지도 못하지만, 그 갯바위를 떠올리는 것만 해도 괴롭지만, 내가 선물한 네 청재킷이 무겁지만, 장마 때마다 울었지만 살았다. 밥도 챙겨 먹고, 약도 챙겨 먹고, 부모님이 하시는 카페 일도 거들어 가며 바쁘다고 얘기할 수 있을 만큼 살았다. 언젠가 다시 청하를 재회한다면 웃으며 잘 살았다는 말을 전하기 위해서.

인간이라는 존재는 참으로 신기하다. 지나치게 커다란 상실을 겪었음에도

그런데 어느 날부터 청하가 내 꿈에 나타나기 시작했다. 우리 둘 다 바다에서 뭍으로 나오지 않고 바다에서 이야기하는 꿈이었다. 꾸기 시작한 날부터 지금까지 꾸고 있다. 그렇게 꿈을 여러 번 꾸는 동안 알게 된 것이 있다. 늘 청하의 말로 끝난다는 것이었다. 무슨 말을 하는 건지는 정확하게 모르겠지만 마지막에 하는 말은 안

다.

“…가야 해, 알았지?”

몇 번이고 생각해도 들을 수 없었지만, 자꾸 꾸는 것이 답답해서 그 꿈을 꾸는 것을 꺼리게 되었다. 그렇게 그 내용에 대한 호기심이 사그라들 때에 그 말을 들을 수 있게 되었다.

“해야, 너는 살아가야 해. 알았지?”

그 말을 들었던 날은 24살의 내가 살아가고 있던 7월 23일, 5번째 무더운 너의 기일이었다.

샛푸름 익사 사건 속 TMI

시간선

1. 24살 <현재> 시점에서 시작
2. 19살 <과거> 시점, 청하 생존, 7월 중반
3. 12살 <과거> 시점, 첫 만남
4. 19살 <과거> 시점, 7월 23일 청하의 생일, 생존
5. 19살 <과거> 시점, 청하 사망, 8~9월쯤
6. 19~20대 초반 <과거> 청하 사망 후의 삶
7. 24살 <현재> 시점, 7월 23일 청하 5주기

주제

상실 속에서도 살아가는 인간 한 명, 혹은 여럿의 삶

청하와 재해의 성별은 어떻게 되는가?

정하지 않았다. 읽는 독자에 따라 이입이 잘 되는 관계상이 성별에도 있다고 생각하기도 했고, 성별로 인해서 글의 어떤 부분들이 특정되는 것을 별로 좋아하지 않기 때문에 여러분의 상상에 맡기게 되었다.

청하는 왜 죽었는가?

부모와 직접적인 정서적 교류를 할 기회가 없어 생긴 결핍. 작가인 삼촌은 돈벌이 수단인 책 때문에 청하를 혼자 두고 서울에 다녀오기도 하고, 때론 집필을 이유로 물리적인 거리를 두면서 거리감을 형성할 수밖에 없었다.

물론 그사이에 이사 온 바닷가 마을의 이웃 '재해'와 친해지면서 '재해'를 통해서 정서적 안정을 찾아가는 줄 알았지만, 학년이 올라갈수록 부모님과 지내는 또래들을 보며 자신과 부모, 삼촌과의 관계에 회의감을 가지게 되며, 그로 인해 점점 쌓인 외로움이 죽음을 서둘러 촉발했다고 할 수 있다.

청하는 정말로 바다를 싫어했는가?

오히려 동경했다. 자신이 찾을 수 있는 가장 넓고 자유로운 장소이자 자신이 그렇게도 갈망하는 죽음을 쉽게만 이뤄줄 것 같아서 좋아하고, 동경했다. 그렇지만 그런 이유로 바다를 좋아하는 것은, 평범한 것이 아니었기에 애써 다른 이유로 감싸며 피하기 싫었기에, 싫어한다고 하는 것은 일종의 방어기제이다.

소설과 함께 보면 좋은 시

투신해살, C의 졸업식, 표본은 이야기를 구성할 때부터 썼던 시이니, 소설 내용과 비교해서 보는 재미가 있을 것이다.

주인공 이름이 재해인 이유

청하의 죽음은 어찌 보면 전조증상도 없었기에 아무도 모른 채 일어난, 어찌할 수 없는 사건이라고도 할 수 있기에 소설의 중점이 되는 청하의 죽음에 대한 사건을 간접적으로 표현하기 위함이다. 또한 재해를 검색했을 때 나오는 사전적 의미인 재앙으로 말미암아 입는 피해라는 뜻 자체가 주인공의 상황을 잘 나타내주는 거 같아 '재해'라 이름을 붙였다.

별개로 재해의 한자 뜻은 있을 在 갖출 晐로 주변을 보살피며 포용하라는 의미이다.